세종
한국어

더하기 활동

3A

문화체육관광부
국립국어원

발간사

최근 전 세계인이 접하는 한류 콘텐츠의 규모가 늘어나면서 한류 문화가 확산되고 있고, 그 결과로 한국어를 배우고자 하는 외국인 학습자의 기세가 매우 놀랍습니다. 세계 곳곳이 코로나19로 침체기를 겪던 2021년에도 한국어능력시험 응시자는 30만 명을 훌쩍 넘었으며, 문화체육관광부의 세종학당은 2007년 13곳에서 2022년에는 84개국 244개소로 증가하였습니다. 이러한 한류의 지속적인 확산을 뒷받침하기 위해서는 한국어교육의 탄탄한 지원이 필요합니다.

한류 콘텐츠와 함께 성장하는 한국어교육의 토대를 다지기 위해, 문화체육관광부와 국립국어원은 2011년 처음 발간된 《세종한국어》를 새로 다듬기로 하였습니다. 2019년부터 기초 연구를 시작한 교재 개정 작업은 3년의 시간을 들여, 2022년 드디어 새로운 《세종한국어》를 펴내게 되었고, 이를 세종학당재단과 함께 알리게 되었습니다.

새롭게 개정된 《세종한국어》는 첫째, 세종학당 곳곳에서 한국어를 배우고자 하는 열의로 가득 찬 외국인 학습자 중심의 교재를 지향하였습니다. 둘째, 현지 세종학당의 학습 환경에 따라 유연하게 활용할 수 있는 맞춤형 교재로 정비되었습니다. 셋째, 한류 콘텐츠에 대한 외국인들의 관심을 내용에 반영함으로써, 한국어 공부에 대한 학습자의 부담을 낮췄습니다. 마지막으로 세종학당을 대표하는 표준 교재로서 구심점 역할을 담당하고, 이후의 한국어 학습을 위한 연계성도 잘 갖추었습니다.

세종학당은 한국어와 한국 문화로 한국과 세계를 연결하는 대한민국 대표의 국외 한국어교육 기관입니다. 국립국어원과 문화체육관광부는 앞으로도 세종학당재단과 협력하여 전 세계에서 한국어를 사랑하는 이들이 꿈을 이룰 수 있도록 지속적인 노력과 지원을 아끼지 않겠습니다.

끝으로 교재 개발을 위해 최선의 노력을 기울여 주신 연구·집필진과 출판사 관계자분들께 진심으로 감사의 말씀을 드립니다. 《세종한국어》의 새로운 출발과 함께 문화체육관광부와 국립국어원, 세종학당재단이 세계로 더 나아갈 수 있도록 여러분의 따뜻한 관심 부탁드립니다.

2022년 8월
국립국어원장 장소원

머리말

세종학당은 한국과 전 세계를 연결하는 한국어·한국 문화 보급 기관입니다. 이번에 개발한 교재는 상호 문화주의에 기반하여 한국어 학습에 대한 학습자의 흥미를 증진함으로써 한국어 의사소통 능력을 향상시키는 것을 목표로 하였습니다. 이를 위해 최근 한국의 상황을 적극적으로 반영하였고 최신 교수법을 구현할 수 있는 새로운 구성과 디자인을 적용하였습니다. 이를 통해 국외 한국어교육의 방향성을 새롭게 제시하고자 하였습니다. 개정 《세종한국어》의 구체적 특징은 다음과 같습니다.

첫째, 세종학당의 표준 교육과정인 가형, 나형, 다형 전 과정에 탄력적으로 활용할 수 있도록 '기본 교재'와 '더하기 활동 교재'로 구분하였습니다. '기본 교재'에는 해당 등급에 필요한 핵심적인 내용을 담았으며, '더하기 활동 교재'에는 심화·확장이 필요한 언어 지식과 의사소통 활동을 담았습니다. 이를 통해 다양한 학습자 특성에 맞게 교재를 선택하여 사용할 수 있도록 하였습니다.

둘째, 효과적 교수·학습을 위해 단계별로 단원 구성을 차별화하였으며 학습 내용 또한 언어 발달 단계에 맞는 교수 학습 내용과 절차를 적용하였습니다. 특히 다양한 삽화와 시각적 자료를 적극적으로 제시하여 한국어 학습의 흥미를 극대화할 수 있도록 노력하였습니다.

셋째, 교재 전반에 생생한 한국 문화 내용을 배치하여 학습자들이 상호 문화적 관점에서 한국 문화를 이해하고, 궁극적으로는 자국의 문화와 한국 문화에 대한 바른 태도를 형성할 수 있도록 하였습니다.

넷째, 교재와 함께 '익힘책', '교사용 지도서', '어휘·표현과 문법', 수업용 PPT와 같은 보조 자료들을 개발하여 교사·학습자의 요구에 맞게 교재를 활용할 수 있도록 하였습니다.

이 교재를 기획하고 개발하는 모든 과정에 함께해 주신 국립국어원과 현지 학당과의 협조와 지원을 아끼지 않으신 세종학당재단, 그리고 학습자들이 재미있게 한국어를 배울 수 있도록 멋지게 디자인해 주신 공앤박출판사에 감사의 마음을 전하고 싶습니다. 끝으로 3년이라는 긴 시간 동안 오로지 한국어교육에 대한 열정으로 좋은 교재를 만들어 내기 위해 애써 주신 모든 집필진께 말로는 다할 수 없는 깊은 감사의 마음을 전합니다.

2022년 8월
저자 대표 이정희

차례

차례

1. 방학에 하는 활동과 관련된 어휘와 표현을 빈칸에 넣어 보세요.

오랜만이야	정신없이 지내다	다음에 또 보자	한가하게 지내다
웬일이야	그저 그렇게 지내다	특별한 일 없이 지내다	다음에 밥 한 끼 하자
여기저기 다니다	이런저런 이야기를 하다	이게 얼마 만이야	이곳저곳 다니다

만났을 때	
근황/안부	
헤어질 때	

2. 오랜만에 친구하고 만났어요. 배운 어휘를 사용해서 쓰고 친구와 인사해 보세요.

1) 가: 안녕? 오랜만이야.

   나: _____ .

2) 가: 그동안 어떻게 지냈니?

   나: _____ .

3) 가: 이제 집에 가야겠어. 다음에 또 보자.

   나: _____ .

3. 다음 표현을 듣고 따라 해 보세요.

1) • 일이 너무 많아서 정신없이 지냈어요.
   • 주말에 약속이 많아서 정신없이 보냈어요.

2) • 오랜만에 친구를 만나 이런저런 이야기를 나눴어요.
   • 방학 때 이런저런 일을 많이 했어요.

3) • 여기저기 다니면서 많은 것을 배웠어요.
   • 여행을 좋아해서 여기저기 많이 다녔어요.

새 어휘 ☘

다음에 또 보자
다음에 밥 한 끼 하자

1. 다음 단어를 활용해서 문장을 완성해 보세요.

먹다	가다	보다
듣다	사다	운동하다
공부하다		

1) 주말에 같이 백화점에 가**자** .

2) .

3) .

4) .

2. 다음을 보고 상황에 맞게 '반말'로 써 보세요.

1) 후배: 언니, 점심에 뭐 먹을래? 김밥 먹을까?

　 나: 김밥 말고 오늘은 다른 걸 먹어 보자 .

2) 나: 오랜만이야. ?

　 친구: 방학 동안 여기저기 여행 다녔어. 너는 방학에 뭐 하고 지냈니?

3) 나: ?

　 친구: 아니 아직 안 자. 왜? 무슨 일이야?

4) 친구: 시험 기간이라서 도서관에 사람이 너무 많은 것 같아.

　 나 :

3. 다음의 상황을 보고 '반말'로 이야기해 보세요.

1) 친구 — 나(친구)

　 학교 친구와 같이 발표 준비를 하고 있습니다.
　 친구에게 도와달라고 해 보세요.

　 친구: 발표 자료 정리는 다 했어? 좀 도와줄까?

　 나:

2) 후배 — 나(선배)

　 시험 기간에 밤늦게까지 학교에서 공부를 하고
　 있습니다. 후배에게 대답해 보세요.

　 후배: 선배님, 늦었는데 이제 그만 갈까요?

　 나:

1. 다음 단어를 활용해서 문장을 완성해 보세요.

| 크다 | 피곤하다 | 기분이 좋다 |
| 어렵다 | 슬프다 | 비싸다 |
| 재미있다 |

1) 오늘 안나 씨가 많이 피곤**해 보여요**   .

2)   .

3)   .

4)   .

2. 그림을 보고 '-아/어 보이다'를 사용해서 대화를 완성해 보세요.

1) 가: 서류 가방이 멋있어 보여   .

   나: 아버지가 쓰시던 가방인데 아직도 튼튼하고 좋아.

2) 가: 와, 이게 뭐야? 음식이 정말   .

   나: 그래? 처음 만들어 본 음식인데. 고마워.

3) 가: 이 영화보다 저 영화가 더   . 우리 저 영화 보자.

   나: 그래. 그럼 저 영화 보자.

4) 가: 이 옷 어때? 나한테 딱 어울리지 않아?

   나: 글쎄. 그 색은 좀   . 밝은색으로 다시 입어 봐.

5) 가: 어, 저기 유진이네. 책이 많아서   .

   나: 그럼 우리가 가서 좀 도와주자.

3. 다음의 상황을 보고 '-아/어 보이다'를 사용해서 이야기해 보세요.

1) 친구 — 나

   친구하고 옷 가게에 갔습니다. 친구가 입은 옷이
   어떤지 이야기해 보세요.

   친구: 어때? 이 옷 괜찮아?

   나: _____
   _____.

2) 친구 — 나

   친구하고 식당에 갔습니다. 친구에게 먹고 싶은
   것을 이야기해 보세요.

   나: _____
   _____.

   친구: 그래? 그럼 나도 그거 먹을래.

1. 개강하고 안나 씨와 유진 씨가 이야기해요. 다음을 잘 듣고 질문에 답하세요.

02

  1) 들은 내용과 같으면 ○, 다르면 × 표시를 하세요.

   ① 두 사람은 반 친구들과 밥을 먹고 싶어 해요.   (   )

   ② 유진 씨가 다른 친구들에게 연락을 하기로 했어요.   (   )

   ③ 두 사람은 휴가가 끝나고 오랜만에 회사에서 만났어요.   (   )

   ④ 유진 씨는 선생님과 함께 밥을 먹는 것이 조금 불편해요.   (   )

  2) 안나 씨와 유진 씨는 무슨 이야기를 하고 있어요?

  3) 안나 씨는 누구와 같이 밥을 먹으려고 해요?

2. 다음 대화를 잘 듣고 질문에 답하세요.

03

  1) 선생님과 유진 씨는 어떤 이야기를 하고 있어요?

  2) 유진 씨는 방학 때 무엇을 했어요?

  3) 유진 씨는 선생님이 반말하는 것을 어떻게 생각해요?

  4) 다시 들으면서 중요한 내용을 메모해 보세요.

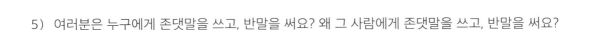

  5) 여러분은 누구에게 존댓말을 쓰고, 반말을 써요? 왜 그 사람에게 존댓말을 쓰고, 반말을 써요?

1. 다음 글을 읽고 질문에 답하세요.

한국인의 나이 문화

한국 사람들은 다른 사람과 처음 만났을 때 서로의 나이를 궁금해합니다. 한국은 나이에 따라 사용하는 말이 다르기 때문입니다. 나이가 많은 사람에게 존댓말을 쓰고, 나이가 같거나 적은 사람에게 반말을 씁니다. 또 다른 사람을 부르는 말도 나이에 따라 다릅니다. 나보다 나이가 많은 사람에게 이름을 그냥 부르거나, 반말을 하는 것은 한국의 예절이 아닙니다. 한국에서는 나보다 나이가 많은 사람은 성별에 따라 형, 누나, 언니, 오빠라고 부릅니다. 나보다 나이가 아주 많은 사람은 어르신이라고 부릅니다. 나보다 나이가 적은 사람은 이름을 부릅니다.

어린아이들은 처음 만나는 사람에게 "몇 살이야?", "몇 살이에요?"라고 물어보고, 그 사람의 나이에 따라 존댓말을 쓰거나 반말을 합니다. 하지만 성인들이 나이를 물어볼 때는 어린아이들처럼 묻지 않습니다. 대학교의 학번을 묻거나, 생년월일이나 태어난 해의 띠를 물어봅니다. 혹은 상대의 직업과 직함을 확인해 부르는 등 돌려 말합니다. 그렇지 않으면 예의가 없다고 생각하기 때문입니다. 이런 이유로 한국 사람들은 다른 사람을 처음 만났을 때 그 사람의 나이를 확인하거나 상대의 정보에 대해 궁금해하는 경우가 많습니다.

1) 한국 사람들은 다른 사람과 이야기를 할 때 존댓말을 쓸지, 반말을 쓸지 어떻게 정해요?

2) 읽은 내용과 같으면 ○, 다르면 × 표시를 하세요.

① 한국 사람들은 나이가 비슷하면 모두 친구처럼 편하게 이야기해요. ( )
② 처음 만난 한국 사람과 이야기를 할 때 상대방의 나이를 모르면 반말을 해도 괜찮아요. ( )

2. 여러분 나라에서는 나이에 따라 어떤 호칭어들이 있어요? 친구들과 이야기해 보세요.

1. 여러분은 오랫동안 만나지 못한 친구가 있어요?
여러분의 친구에게 안부를 묻고 인사하는 편지를 쓰기 위해서 간단하게 메모해 보세요.

어떤 친구예요?	·
친구에게 하고 싶은 말이 있어요?	· ·
친구를 만나면 무엇을 하고 싶어요?	· · ·

2. 메모를 보고 반말을 사용해서 친구에게 안부 인사를 전하는 편지를 써 보세요.

3. 친구와 같이 한 즐거운 일들을 반 친구들에게 이야기해 보세요.

나는 친구와 ….

1. 소식의 내용과 관련된 어휘와 표현을 빈칸에 넣어 보세요.

입학을 하다	일을 그만두다	졸업을 하다	장학금을 받다	자녀가 결혼하다
운전면허를 따다	일자리를 구하다/찾다	청혼을 하다/받다	회사에서 근무하다	직장을 옮기다
일을/업무를 맡다	승진하다	합격하다	직장인이 되다	

10대~20대에 하는 일	
30대~40대에 하는 일	
50대 이후에 하는 일	

2. 최근에 어떤 일이 있었어요? 배운 어휘를 사용해서 쓰고 이야기해 보세요.

1) 학교에서 _____ .

2) 회사에서 _____ .

3) 가장 친한 친구가 _____ .

4) 나의 가족 ○○이/가 _____ .

3. 다음 표현을 듣고 따라 해 보세요.

1) • 올해는 꼭 운전면허를 따고 싶어요.
   • 이번 학기에는 꼭 장학금을 받고 싶어요.

2) • 다음 학기에는 휴학하고 한국에 어학연수를 다녀오려고 합니다.
   • 지금 하는 일을 그만두고 새로운 일자리를 찾으려고 합니다.

3) • 안녕하세요? 오늘부터 이 회사에서 근무하게 된 김민수입니다.
   • 반갑습니다. 이번 업무를 맡게 된 마리입니다.

새 어휘 💡

자녀가 결혼하다
합격하다
직장인이 되다
직장을 옮기다

1. 다음 단어를 활용해서 문장을 완성해 보세요.

| 듣다 | 먹다 | 만들다 |
| 바쁘다 | 작다 | 재미있다 |
| 있다 |

1) 주노 씨가 바빠서 먼저 밥을 먹**는다고 해요**   .

2) _____ .

3) _____ .

4) _____ .

2. 다음을 보고 '-는다고/ㄴ다고/다고 하다'를 사용해서 다른 사람에게 이야기를 전달해 보세요.

〈날씨〉	〈문화 체험 안내〉	〈뉴스〉
• 오늘 전국 맑음 • 내일 제주도에 비, 오후부터 전국에 비	• 날짜: 10월 17일 • 장소: A동 110호 • 김밥 만들기	• 어제 오후 하나무역회사에서 화재 발생 • 다친 사람은 없어

1) 오늘 날씨가 어때요?
   • 오늘은 전국이 맑**다고 해요**   .

2) 내일 제주도의 날씨가 어때요?
   • _____ .

3) 문화 체험을 언제 해요? 문화 체험에서 무엇을 해요?
   • _____ .

4) 뉴스 봤어요? 어제 하나무역회사에 무슨 일이 있었어요?
   • _____ .

3. 다음의 상황을 보고 '-는다고/ㄴ다고/다고 하다'를 사용해서 이야기해 보세요.

1) 친구 — 나

   오늘 친구가 아파서 학교에 오지 않았습니다. 전화로 안부를 묻고 과제를 알려 주세요.

   > 친구: 오늘 학교에 못 갔는데 과제를 언제까지 내야 해요?

   > 나: 몸은 괜찮아요?
   > _____ .

2) 후배 — 나(선배)

   가수 박준의 콘서트 광고를 보고 있습니다. 박준을 좋아하는 후배에게 소식을 전해 주세요.

   > 후배: 선배님, 뭐 보고 있어요?

   > 나: 가수 박준이 _____
   > _____ .

1. 다음 단어를 활용해서 문장을 완성해 보세요.

가다	듣다	살다
크다	좋다	춥다
친구이다		

1) 민수 씨가 음악을 듣**나 봐요**　　　　　.

2) 　　　　　　　　　　　　　　　.

3) 　　　　　　　　　　　　　　　.

4) 　　　　　　　　　　　　　　　.

2. 다음 상황을 보고 '-나/(으)ㄴ가 보다'를 사용해서 여러분의 생각을 써 보세요.

1) 유진 씨가 계속 전화를 안 받아요.

• 지금 많이 바쁜가 봐요　　　　　　　　　　　　　.

2) 마리 씨의 표정이 좋지 않아요.

•　　　　　　　　　　　　　　　　　.

3) 재민 씨가 오늘 늦게 출근했어요.

•　　　　　　　　　　　　　　　　　.

4) 안나 씨가 요즘 계속 기침을 해요.

•　　　　　　　　　　　　　　　　　.

3. 다음의 상황을 보고 '-나/(으)ㄴ가 보다'를 사용해서 이야기해 보세요.

1) 친구 — 나

친구들과 저녁 식사 약속을 했는데, 주노만 아직 오지 않았습니다. 왜 안 왔는지 자신의 생각을 친구들에게 이야기해 보세요.

> 친구: 주노가 왜 이렇게 안 오지?

> 나:　　　　　　　　　　　
> 　　　　　　　　　　　.

2) 동료 — 나

옆자리 동료가 부장님의 표정이 별로 좋지 않은 것 같다고 하며 무슨 일이 있는지 물어봅니다. 자신의 생각을 동료에게 이야기해 보세요.

> 동료: 오늘 부장님한테 무슨 일 있어요?

> 나:　　　　　　　　　　　
> 　　　　　　　　　　　.

1. 재민 씨와 유진 씨가 오랜만에 만났어요. 다음을 잘 듣고 질문에 답하세요.

1) 들은 내용과 같으면 ○, 다르면 × 표시를 하세요.

① 유진 씨는 방학 때 고향에 다녀왔어요. ( )

② 재민 씨는 다음 달에 한국에 출장을 가요. ( )

③ 재민 씨는 유진 씨의 고향에 가 본 적이 있어요. ( )

④ 안나 씨는 오늘 일이 있어서 두 사람을 못 만나요. ( )

2) 재민 씨는 이번에 왜 고향에 가지 못했어요?

3) 유진 씨는 이번 방학 때 무엇을 했어요?

2. 다음 라디오 방송을 잘 듣고 질문에 답하세요.

1) 박정민 씨와 이민혁 씨는 무슨 사이예요?

2) 박정민 씨는 왜 이민혁 씨와 연락이 안 되었어요?

3) 박정민 씨는 왜 이 편지를 썼어요?

4) 다시 들으면서 중요한 내용을 메모해 보세요.

5) 여러분은 오래 연락이 되지 않은 친구가 있어요? 그 친구에게 편지를 쓴다면 어떤 이야기를 하고 싶어요?

1. 다음 글을 읽고 질문에 답하세요.

jinjin 와, 친구와 여행을 갔나 봐요. 나도 여행 가고 싶어요.

anna @jinjin 다음에 같이 와요.

KiKi 두 번째 사진에 있는 건 뭐예요?

anna @KiKi 대만 과자예요. 선물로 사 갈게요. 기다리세요~^^

A123 우리 고향이네요. 대만! 나도 고향에 가고 싶어요. ㅠㅠ
다음엔 저랑 같이 여행해요.

anna @A123 네~^^ 대만 정말 예쁘고, 맛있는 음식도 많아요.
다음에는 꼭 같이 와요.

A123 @anna 네! 대만 만두도 꼭 먹어요. 맛있어요!

anna @A123 이미 맛있게 먹었어요!^^

Good @anna 지금 여행 중이에요? 부러워요. 언제 한국에
와요?

anna @Good 내일 돌아가요. 한국 가서 만나요~

anna 여행은 즐거워
#친구와_둘이 #대만 #Taiwan #맛있는_음식
#여름휴가 #펑리수 #비가_와도_좋아
#좋은_호텔에서

♡ ◯ →
♥ 좋아요 372개

1) 'anna' 씨는 지금 어디에 있어요?

2) 읽은 내용과 같으면 ◯, 다르면 ✕ 표시를 하세요.
① 'anna' 씨는 여행 선물로 과자를 사려고 해요. (   )
② 'anna' 씨는 비가 와서 이번 여행이 힘들어요. (   )
③ 'anna' 씨는 여행을 가서 만두를 먹어 봤어요. (   )
④ 'anna' 씨는 'A123' 씨와 같이 여행을 하고 있어요. (   )

2. 에스엔에스(SNS)에서 본 'anna' 씨의 소식을 친구에게 전해 주세요.

1. 여러 가지 소식으로 우리 반 신문을 만들어 봐요. 아래에 간단하게 메모해 보세요.

대상	소식
세종학당 소식	
학교 행사	
우리 반 행사	
친구들과 선생님 소식 (축하, 새로운 소식 등)	

2. 메모를 보고 친구들과 함께 우리 반 신문을 만들어 보세요.

3. 친구들이 만든 신문을 바꿔 보고 누구의 신문이 가장 재미있는지 이야기해 보세요.

4. 내가 만든 신문에서 꼭 소개하고 싶은 내용을 친구들에게 이야기해 보세요.

1. 빈칸에 들어갈 적절한 단어를 찾아 써 보세요.

싸다	월세	전세	풀다
계약금	나르다	보증금	계약하다
정리하다	공인중개사	집을 구하다	

집세

이삿짐

부동산

2. 여러분은 어떤 집에서 살고 싶어요? 배운 어휘를 사용해서 쓰고 이야기해 보세요.

위치	시장에서 가까워요.
환경	주변이 조용해요.
시설	가구와 가전제품이 있어요.

3. 다음 표현을 듣고 따라 해 보세요.
01

1) • 집 근처에 편의점이 있으면 좋겠어요.
   • 조용한 곳으로 이사를 가면 좋겠어요.

2) • 신학기라서 집을 구하는 일이 쉽지 않아요.
   • 방학이라서 아르바이트 자리가 많지 않아요.

3) • 집을 구하려고 부동산에 물어봤어요.
   • 이사를 하려고 이삿짐센터에 전화했어요.

새 어휘 💡

전세
계약금
계약하다
공인중개사
집을 구하다

1. 다음 단어를 활용해서 문장을 완성해 보세요.

가다	살다	먹다
마시다	걷다	여행하다
짓다		

1) 다음 학기부터 기숙사에서 **살까 해요**   .

2) 매일 30분씩   .

3) 아침에 일어나면   .

4)   .

2. 다음 달력을 보고 '-(으)ㄹ까 하다'를 사용해서 문장을 완성해 보세요.

7월

일	월	화	수	목	금	토
28	29	30	1 쇼핑	2	3	4 여행 ★
5 여행	6	7 마리 생일 파티	8	9	10 영화관	11
12	13	14 발표 준비 ★	15 발표 준비	16	17	18 모임

1) 7월 1일에 쇼핑을 할까 해요   .

2) 7월 첫째 주 주말에   .

3) 7월 7일에   .

4) 7월 10일에 영화관에서   .

5) 7월 14일과 15일에   .

6) 18일에 친구를 집으로 초대해서   .

3. 다음의 상황을 보고 '-(으)ㄹ까 하다'를 사용해서 이야기해 보세요.

1) 사장님 — 나(직원)

휴가를 가려고 합니다. 사장님에게 휴가에 대해 이야기해 보세요.

> 사장님: 무슨 일이에요?

> 나: 제가 이번에
>   .

2) 친구 — 나

설날입니다. 친구와 설날 계획에 대해 이야기해 보세요.

> 친구: 다음 주가 설인데 뭐 할 거야?

> 나: 이번에
>   .

1. 여러분은 어떤 집에서 살고 싶지 않아요? '-지만 않으면'을 사용해서 써 보세요.

시끄럽다	회사에서 멀다	지은 지 오래되다
월세가 비싸다	교통이 불편하다	?

저는

1) 시끄럽**지만 않으면**
2)
3)
4)
5)
6)

괜찮아요.

2. 여러분은 어떤 사람과 친구가 되고 싶지 않아요? '-만 아니면'을 사용해서 써 보세요.

자기 자랑을 많이 하다	모든 일에 부정적이다	다른 사람 이야기를 안 듣다
게으르다	다른 사람 험담을 자주 하다	?

저는

1) 자기 자랑을 많이 하는 사람만 아니면
2)
3)
4)
5)
6)

친구가 될 수 있어요.

3. 다음의 상황을 보고 '-지만 않으면, 만 아니면'을 사용해서 이야기해 보세요.

1) 룸메이트 — 나

기숙사 룸메이트가 바뀌었습니다. 새 룸메이트와 방 규칙을 만들어 보세요.

룸메이트: 잘 부탁드려요. 이 방에서 지내면서 제가 특별히 조심해야 할 행동이 있을까요?

나: 아, _____
_____ .

2) 친구 — 나

친구가 소개팅을 시켜 주려고 합니다. 친구에게 이상형에 대해 이야기해 보세요.

친구: 소개팅 시켜 달라고 했지? 이상형이 어떻게 돼?

나: 나는 _____
_____ .

1. 주노 씨와 수지 씨가 이사에 대해 이야기하고 있어요. 다음을 잘 듣고 질문에 답하세요.
02

1) 수지 씨는 언제 이사를 해요?

2) 누가 수지 씨의 이사를 도와줄 거예요?

3) 수지 씨가 직접 싸려고 하는 이삿짐은 뭐예요?

4) 주노 씨는 수지 씨의 집에 무엇을 가지고 갈 거예요?

2. 다음을 잘 듣고 질문에 답하세요.
03

1) 들은 내용과 같으면 ○, 다르면 × 표시를 하세요.

① 원하는 집을 찾으려면 여러 부동산에 가 보는 것이 좋아요.   (   )

② 부동산에 갈 때 집에 대해 잘 아는 사람과 같이 가는 것이 좋아요.   (   )

③ 원하는 집의 조건이 구체적이면 그런 집을 찾는 데 오래 걸려요.   (   )

2) 다시 들으면서 중요한 내용을 메모해 보세요.

3) 부동산을 이용할 때 또 무엇을 주의하면 좋을까요? 이야기해 보세요.

1. 다음 글을 읽고 질문에 답하세요.

한국의 집들이 문화

한국에서는 이사를 하면 가족이나 친구를 초대해서 파티를 합니다. 이를 집들이라고 합니다. 집주인은 집들이에 온 손님들에게 집을 소개하고 맛있는 음식을 대접합니다. 그리고 초대 받은 손님들은 선물을 준비해 갑니다. 보통 휴지나 세제를 선물로 준비하는데 여기에는 의미가 있습니다. 휴지는 모든 일이 휴지가 풀리듯이 잘 풀리라는 의미가 있습니다. 그리고 세제는 물에 생기는 거품처럼 돈이 많이 생겨서 부자가 되라는 뜻입니다. 요즘은 집을 꾸밀 때 필요한 작은 물건들, 화분이나 시계 등을 선물하기도 합니다.

1) '집들이'는 뭐예요?

2) 한국에서는 집들이 선물로 보통 무엇을 준비해 가요?

3) 집들이 선물에는 어떤 의미가 있어요?

4) 여러분은 집들이 선물로 무엇을 받고 싶어요?

2. 다음은 이사를 하고 싶은 이유에 대한 설문 조사 결과입니다.
다음을 보고 질문에 답하세요.

〈이사하고 싶은 이유〉	
〈20~30대〉 1위. 집세가 부담스러워서 2위. 직장과 멀어서 3위. 결혼해서 4위. 더 좋은 집에서 살고 싶어서	〈40~50대〉 1위. 직장과 멀어서 2위. 자녀의 교육을 위해 3위. 집세가 부담스러워서 4위. 편의 시설이 부족해서

1) 20~30대가 이사를 하고 싶어 하는 가장 큰 이유는 뭐예요?

2) 40~50대가 이사를 하고 싶어 하는 가장 큰 이유는 뭐예요?

3) 여러분은 언제 이사를 하고 싶어요?

새 어휘 💡

거품
부자
꾸미다

1. 여러분은 어떤 집에서 살고 싶어요? 그리고 어디에서 살고 싶어요? 집과 관련하여 아래의 내용을 간단하게 메모해 보세요.

살고 싶은 집	• 어떤 집에서 살고 싶어요? • 그 이유는 뭐예요?	

도시에서의 삶과
시골에서의 삶
	• 은퇴 후 도시에서 살고 싶어요?
	  시골에서 살고 싶어요?
	• 도시에서의 삶과 시골에서의
	  삶의 장단점은 뭘까요?	

2. 집과 관련된 위의 주제 중 하나를 선택해서 글을 써 보세요.

3. 친구들이 어떤 주제를 선택해서 글을 썼는지 알아보고 그 이유를 물어보세요.

4. 여러분이 쓴 주제와 같은 주제의 글을 쓴 친구를 찾아 글을 서로 바꿔 읽어 보세요.

1. 청소와 관련된 어휘와 표현을 빈칸에 넣어 보세요.

청소기, 세탁기	고무장갑	수세미	손빨래를 하다
빗자루, 쓰레받기	주방 세제, 세탁 세제	고무장갑을 끼다	바닥을 쓸다
걸레, 대걸레	개다	쓰레기를 버리다	바닥을 닦다
빨래를 널다	쓰레기통을 비우다	걸레질을 하다	

설거지할 때

청소할 때

세탁할 때

---

2. 여러분이 평소 집에서 하는 집안일이 뭐예요? 배운 어휘를 사용해서 쓰고 이야기해 보세요.

1) 평일 아침에 _____ .

2) 평일 저녁에 _____ .

3) 주말에 _____ .

---

3. 다음 표현을 듣고 따라 해 보세요.

1) • 주말에 일어나면 빨래부터 합니다.
   • 집에 돌아오면 손부터 씻어야 합니다.

2) • 내가 청소기를 돌릴 테니까 바닥 좀 닦아 줘.
   • 제가 요리할 테니까 설거지 좀 부탁해요.

3) • 바닥을 청소할 때 빗자루와 쓰레받기가 필요해요.
   • 설거지 할 때 세제와 고무장갑이 필요해요.

새 어휘

수세미
고무장갑을 끼다
개다

1. 다음 그림에서 여러분이 평소 하는 일이 무엇인지 골라 보세요. 그리고 그 그림에 순서대로 번호를 쓰고 '-고 나서'를 사용해서 하루 일과를 써 보세요.

(   )   (   )   (   )   (   )

(   )   (   )   (   )   (1   )

(   )   (   )   (   )   (   )

(   )   (   )   (   )   (   )

저는 아침에 일어나서 핸드폰을 봐요. 핸드폰을 보고 나서

_____

_____

_____

_____ .

2. 다음의 상황을 보고 '-고 나서'를 사용해서 이야기해 보세요.

1) 후배 — 나(선배)

후배가 한국어를 잘하고 싶어 합니다. 효과적인
공부 방법을 소개해 주세요.

> 후배: 선배, 한국어를 더 잘하고 싶은데 어떻게 하면
> 좋을까요?

> 나: 가장 좋은 방법은 _____
> _____ .

2) 친구 — 나

오늘 시험이 끝납니다. 시험이 끝나면 하고 싶은
일에 대해 친구와 이야기해 보세요.

> 친구: 우리 시험이 끝나면 뭐 할까?

> 나: 시험 끝나면 영화 보러 가자. _____
> _____ .

1. 다음 단어를 활용해서 문장을 완성해 보세요.

도와주다	청소하다	빌려주다
요리하다	만들다	준비하다
사다		

1) 제가 숙제를 도와줄 **테니까** 걱정하지 마세요 .

2) .... 사지 마세요.

3) .... 설거지를 부탁해요.

4) .... ?

---

2. 친구의 생일 파티를 계획하고 있어요. 친구들과 어떻게 할지 '-(으)ㄹ 테니까'를 사용해서 이야기해 보세요.

| 케이크를 준비하다 | 꽃을 사다 | 생일 축하 카드를 쓰다 |
| 사진을 찍다 | 치킨을 사 오다 | |

> 내가 케이크를 준비할 테니까 ….

---

3. 다음 상황을 활용하여 '-(으)ㄹ 테니까'를 사용해서 문장을 써 보세요.

| 취직해서 바쁘다 | 닭갈비가 맵다 |
| 다음 주에 시험이 있다 | 주말에 눈이 오다 |

1) 취직해서 바쁠 테니까 약속은 다음으로 미뤄요 .

2) ....

3) ....

4) ....

---

4. 다음의 상황을 보고 '-(으)ㄹ 테니까'를 사용해서 이야기해 보세요.

1) 친구 — 나

   내가 약속 시간에 자주 늦어서 친구가 화가 났습니다. 친구의 마음을 풀어 주세요.

   > 친구: 오늘도 늦게 오면 어떻게 해? 약속 시간 좀 지켜.

   > 나: 미안해. _____
   > _____ .

2) 연인 — 나

   나에게 사랑하는 사람이 있습니다. 연인에게 프로포즈를 해 보세요.

   > 나: 앞으로 _____
   > _____ .

1. 유진 씨와 마리 씨가 좋아하는 집안일에 대해 이야기해요. 다음을 잘 듣고 질문에 답하세요.

02

1) 들은 내용과 같으면 ○, 다르면 × 표시를 하세요.

① 유진 씨가 요리를 했어요.　　　　(　　　)

② 마리 씨는 설거지를 안 좋아해요.　(　　　)

③ 유진 씨가 마리 씨를 초대했어요.　(　　　)

2) 유진 씨가 좋아하는 집안일은 뭐예요?

2. 다음을 잘 듣고 질문에 답하세요.

03

1) 오래된 우유로 무엇을 할 수 있어요?

• 냉장고의 음식 냄새를 없앨 수 있어요.

• ....

• ....

2) 다시 들으면서 중요한 내용을 메모해 보세요.

새 어휘

산더미

3) 여러분은 오래된 우유를 어떻게 활용하나요? 이야기해 보세요.

1. 다음 글을 읽고 질문에 답하세요.

집안일을 도와줄 최고의 발명품

　많은 사람들이 집안일을 하기 귀찮아하거나 힘들어합니다. 그래서 집안일을 도와줄 물건들이 많이 발명되었습니다. 그렇다면 사람들은 집안일을 도와줄 여러 발명품 중 무엇을 가장 좋아할까요? '집안일을 도와줄 최고의 발명품'이 무엇이냐는 설문 조사에서 1위를 차지한 발명품은 바로 살균기입니다. 침대나 소파 등의 세균을 없애 주는 기기로, 전체 응답 중 20.7%를 차지했습니다.

　2위는 자주 세탁하기 어려운 신발을 손쉽게 살균 건조해 주는 신발 살균 건조기(17.6%)가 차지했습니다. 그리고 바닥을 깨끗이 닦아 주는 물걸레 청소 로봇(14%)이 3위로 그 뒤를 이었습니다. 음식물 쓰레기의 물을 빼 주는 수동 탈수기(13.2%), 외부 유리창을 닦아 주는 청소 도구(11.4%), 수돗물을 깨끗하게 만들어 주는 샤워기(6.7%)가 4위부터 6위에 선정되었습니다. 이외에도 옷 건조와 다림질을 동시에 해결해 주는 의류 관리기(6.4%), 누워서 머리를 감을 수 있는 샴푸 기구(3.4%) 등이 순서대로 꼽혔습니다.

1) 윗글을 읽고 설문 조사 결과를 그래프로 그려 보세요.

2) 윗글에서 언급된 발명품 중 여러분은 무엇이 가장 마음에 들어요?

2. 여러분은 집안일을 도와줄 발명품으로 어떤 것이 나오면 좋겠어요? 이야기해 보세요.

새 어휘 💡

발명품
살균기
세균
건조기
탈수기

1. 이 세상에는 우리의 삶을 편리하게 만들어 준 수많은 발명품이 있습니다. 여러분이 생각하는 가장 위대한 발명품에 대해 간단하게 메모해 보세요.

위대한 발명품	·
누가 발명했어요?	·
우리의 삶을 어떻게 변화시켰어요?	· · ·

2. 메모를 보고 여러분이 생각하는 '가장 위대한 발명품'에 대한 글을 써 보세요.

3. 쓴 내용을 발표해 보세요. 다른 사람들이 생각하는 가장 위대한 발명품은 무엇인지 들어 보세요.

제가 생각하는 가장 위대한 발명품은 ….

4. 다른 사람이 발표한 가장 위대한 발명품 중 가장 마음에 드는 것은 뭐예요?

1. 쇼핑과 교환·환불의 이유와 관련된 어휘와 표현을 빈칸에 넣어 보세요.

카드로 계산하다	현금으로 계산하다	(지퍼가) 망가지다	사이즈가 안 맞다
구입하다	얼룩이 있다	안 어울리다	결제하다
(끈이/장식이) 떨어지다	영수증이 있다	더러워지다	교환하다
기간이 지나다	세일 상품		

물건을 구입할 때	
교환을/환불을 할 수 있는 경우	
교환을/환불을 할 수 없는 경우	

2. 교환이나 환불을 한 경험이 있어요? 배운 어휘를 사용해서 쓰고 이야기해 보세요.

백화점　시장　마트　인터넷

1) 인터넷에서 바지를 샀는데 얼룩이 있어서 교환했어요 .

2) _____ .

3) _____ .

3. 다음 표현을 듣고 따라 해 보세요. 01

1) • 주문한 것과 색깔이 달라서 교환했어요.
　• 얼룩이 있어서 다른 옷으로 바꿨어요.

2) • 영수증을 잃어버렸는데 환불할 수 있을까요?
　• 영수증을 안 가져왔는데 내일 드려도 될까요?

3) • 죄송하지만 영수증이 없으면 환불할 수 없습니다.
　• 죄송하지만 쿠폰은 기간이 지나면 사용할 수 없습니다.

새 어휘 ☺

영수증이 있다
더러워지다
기간이 지나다
세일 상품

1. 다음 단어를 활용해서 문장을 완성해 보세요.

| 먹다 | 오다 | 살다 |
| 듣다 | 가다 | 만나다 |
| 입다 |

1) 친구가 만든 음식을 먹어 **보니까** _____ 별로 안 매웠어요.
2) _____ 생각보다 괜찮은 사람이었어요.
3) _____ 정말 재미있었어요.
4) _____ 저한테 딱 맞았어요.

2. 그림을 보고 '-아/어 보니까'를 사용해서 알맞은 문장을 써 보세요.

1)

김치를 먹어 보니까 조금 맵지만 맛있었어요 .

2)

_____ .

3)

_____ .

4)

_____ .

3. 다음의 상황을 보고 '-아/어 보니까'를 사용해서 이야기해 보세요.

1) 친구 ― 나

이번 휴가 때 여행을 갔습니다. 여행지에 대해 친구에게 이야기해 보세요.

친구: 휴가 때 어디에 갔어? 어땠어?

나: _____
_____ .

2) 후배 ― 나(선배)

취직 후에 오랜만에 후배를 만났습니다. 회사 생활에 대해 후배에게 이야기해 보세요.

후배: 선배, 회사 생활은 어떠세요?

나: _____
_____ .

1. 다음 단어를 활용해서 문장을 완성해 보세요.

사다	만들다	가다
듣다	줍다	신청하다
운동하다		

1) 미술관에 가**려면** 33번 버스를 타세요   .
2) _____ 백화점에 가 보세요.
3) _____ 사무실에 가세요.
4) _____ 스피커가 필요해요.

2. 다음 장소에 필요한 안내문을 '-(으)려면'을 이용해서 써 보세요.

1)

〈안내문〉
- 대출 중인 책을 예약하려면 1층에서 신청하세요.

-

-

2)

〈안내문〉

-

-

-

3. 다음의 상황을 보고 '-(으)려면'을 이용해서 이야기해 보세요.

1) 동아리 후배 — 나(선배)

풍경 사진 대회에 후배가 참여하고 싶어 합니다.
어디에서 사진을 찍으면 좋은지 알려주세요.

후배: 선배, 이번 대회에 출전하고 싶은데 사진을 어디에서 찍어야 할까요?

나: _____
_____ .

2) 친구 — 나

친구와 노트북을 어디에서 사는 것이 좋은지
이야기해 보세요.

친구: 노트북을 새로 사고 싶은데 어디에서 사는 게 좋을까?

나: _____
_____ .

1. 안나 씨가 온라인 쇼핑몰에 제품을 문의해요. 다음을 잘 듣고 질문에 답하세요.

1) 안나 씨는 쇼핑몰에 왜 전화를 했어요?

2) 안나 씨가 받은 물건에 어떤 문제가 있어요?

3) 안나 씨는 받은 물건을 어떻게 해야 해요?

2. 다음 대화를 잘 듣고 질문에 답하세요.

1) 들은 내용과 같으면 ○, 다르면 × 표시를 하세요.
① 유진 씨는 인터넷 쇼핑을 자주 해요. (　　　)
② 안나 씨는 인터넷 쇼핑을 하는 게 편하다고 생각해요. (　　　)
③ 유진 씨는 인터넷으로 산 옷이 마음에 안 들어서 환불한 적이 있어요. (　　　)
④ 안나 씨는 얼마 전에 인터넷으로 산 시계를 사이즈 때문에 교환했어요. (　　　)

2) 유진 씨는 인터넷 쇼핑에 대해 어떻게 생각해요? 왜 그렇게 생각해요?

3) 다시 들으면서 중요한 내용을 메모해 보세요.

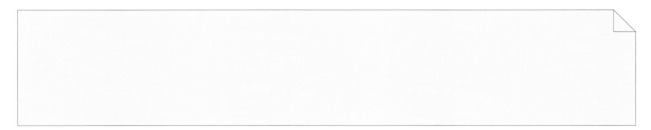

4) 여러분은 인터넷 쇼핑에 대해 어떻게 생각해요?

1. 다음 글을 읽고 질문에 답하세요.

최근 인터넷으로 다른 나라에서 판매하는 옷이나 신발을 직접 구입하는 사람이 늘면서 나라에 따라 다른 사이즈에 대한 정보를 쉽게 찾아볼 수 있습니다. 각 나라의 옷 사이즈를 정확하게 알면 교환이나 환불을 해야 하는 불편함을 줄일 수 있습니다.

한국과 일본은 여성복 사이즈를 말할 때 보통 44, 55, 66 등을 사용하지만 미국 등 다른 나라는 표기 방법이 다릅니다. 미국은 2부터 시작해 짝수 단위로 숫자가 커집니다. 예를 들어 한국의 44사이즈는 미국에서는 2, 55사이즈는 4, 66사이즈는 6이 됩니다. 영국과 호주는 4-6, 8-10, 10-12 등 두 가지 숫자를 함께 사용하고, 프랑스는 34부터 짝수 단위로 숫자를 늘려 34, 36, 38 등으로 커집니다.

남성복의 경우 한국은 85부터 시작, 5단위로 커지지만 미국은 14, 15 등의 숫자를 사용합니다. 여성복의 사이즈가 한국과 같은 일본은 남성복에는 36, 38, 40 등으로 다른 방법을 사용합니다. 영국의 경우 0부터 1, 2, 3 등 차례로 커집니다.

1) 읽은 내용과 같으면 ○, 다르면 × 표시를 하세요.

① 한국과 일본의 여성 의류 사이즈 표기 방법이 같아요. (   )

② 한국은 남성과 여성 의류 사이즈 표기 방법이 같아요. (   )

③ 최근 인터넷을 통해 외국에서 파는 옷을 직접 사는 사람이 많아지고 있어요. (   )

2) 다음 나라에서 옷을 사려면 여러분은 어떤 사이즈를 사야 해요?

한국		미국	
일본		영국	

3) 여러분 나라의 옷, 신발 사이즈는 어떻게 표기해요?

새 어휘 💡

표기
짝수
단위

2. 여러분은 외국에서 판매하는 물건을 인터넷으로 사 본 적이 있어요? 무엇을 샀어요?

1. 여러분은 물건을 직접 보고 사는 것과 인터넷으로 사는 것 중에서 어떤 것을 좋아해요?
아래 내용을 간단하게 메모해 보세요.

	직접 보고 쇼핑하기	인터넷으로 쇼핑하기
좋은 점		
불편한 점		
기억에 남는 경험		

2. 메모를 보고 여러분이 좋아하는 쇼핑 방법에 대한 글을 써 보세요.

.

3. 쓴 내용을 발표해 보세요. 다른 사람들은 여러분의 생각과 뭐가 비슷하고 뭐가 다른지 생각하면서 들어 보세요.

제가 좋아하는 쇼핑 방법은 ….

4. 다른 사람이 발표한 쇼핑 방법 중에서 여러분과 가장 쇼핑 방법이 비슷한 사람이 누구였어요?

1. 고장, 수리와 관련된 어휘와 표현을 빈칸에 넣어 보세요.

화면이 안 나오다	플러그를 꽂다 / 빼다	전원이 안 켜지다	이상한 소리가 나다
바람이 안 나오다	소리가 안 나오다	액정이 깨지다	버튼을 누르다
인터넷 연결이 안 되다	전원을 켜다 / 끄다	버튼이 안 눌러지다	화면이 꺼지다
배터리가 나가다	리모컨이 고장 나다		

휴대폰

에어컨

리모컨

2. 서비스 센터를 이용해 본 적이 있어요? 배운 어휘를 사용해서 서비스 센터 이용 순서를 쓰고 이야기해 보세요.

휴대폰이 고장 났어요.

_____.

3. 다음 표현을 듣고 따라 해 보세요. 01

1) • 에어컨에서 이상한 소리가 나고 시원한 바람이 안 나와요.
   • 휴대폰 화면이 안 나오고 버튼이 안 눌러져요.

2) • 오늘 수리를 맡기면 언제 찾을 수 있을까요?
   • 노트북을 고치면 다시 쓸 수 있을까요?

3) • 화면이 안 움직이면 다시 껐다 켜 보세요.
   • 화면이 자꾸 꺼지면 버튼을 꾹 눌러 보세요.

새 어휘 💡

버튼이 안 눌러지다
화면이 꺼지다
배터리가 나가다
리모컨이 고장 나다

1. 친구가 기억하지 못하는 일을 '-잖아요'를 사용해서 다시 정확하게 알려 주세요.

1) 요즘 왜 이렇게 도서관에 학생들이 많아요?

시험 기간이잖아요   .

2) 10월 9일에 왜 쉬어요?

_____ .

3) 왜 다음 주부터 선생님을 못 만나요?

_____ .

2. 학교 게시판에 있는 내용을 보고 '-잖아요'를 사용해서 친구의 말에 대답해 보세요.

1)
〈한국어능력시험〉
• 시험: 8월 23일
• 접수: 7월 3일~7월 8일
• 발표: 9월 29일

요즘 매일 도서관에 가네요.

_____ .

2)
〈학교 서점 휴가 안내〉
• 8월 1일~8월 5일
• 책을 미리 주문하신 분은 안경점에서 찾아 가세요.

왜 책을 학교 서점에서 안 사요?

_____ .

3)
〈연극 동아리 공연〉
• 일시: 7월 5일, 13:00~
• 장소: 교내 소극장
• 무료

오늘도 연극 동아리 모임에 가요?

_____ .

3. 다음의 상황을 보고 '-잖아(요)'를 사용해서 이야기해 보세요.

나: 유진, 무슨 선물 준비했어? 난 안나가 좋아하는 책을 샀는데.

친구: 선물? 무슨 선물?

1) 나 — 친구

해야 하는 일을 잊어버린 친구와 이야기해 보세요.

나: _____ .

친구: 아, 맞다! 잊어버리고 있었어.

2) 동료 — 나

요즘 주노 씨가 바쁜 이유에 대해 회사 동료에게 설명해 주세요.

동료: 요즘 주노 씨가 많이 바빠 보여요. 무슨 일이 있나 봐요.

나: _____ .
결혼 준비 때문에 정신이 없는 것 같아요.

동료: 그래요? 몰랐네요.

1. 다음 단어를 활용해서 문장을 완성해 보세요.

가다	사다	살다
묻다	입다	청소하다
돕다		

1) 빨간색 티셔츠를 사려다가 .... 까만색을 샀어요.

2) .... 학교 근처 원룸으로 이사했어요.

3) .... 시간이 없어서 못 했어요.

4) .... 편한 바지를 입었어요.

2. 계획한 일이 어떻게 달라졌어요? '-(으)려다가'를 사용해서 쓰고 이야기해 보세요.

1) .... 비가 와서 집에서 쉬었어요.

2) .... 가격이 너무 비싸서 다음에 사기로 했어요.

3) .... 시간이 너무 늦어서 다음 날 다시 갔어요.

4) .... 머리를 짧게 잘랐어요.

3. 다음의 상황을 보고 '-(으)려다가'를 사용해서 이야기해 보세요.

1) 친구 ― 나

주말마다 등산을 할 계획이었는데 요즘 다른 운동을 하고 있습니다. 친구에게 바뀐 계획에 대해 이야기해 보세요.

친구: 주말마다 등산을 간다고 했지? 매주 가고 있어?

나: _____
_____ .

2) 직원 ― 나(손님)

얼마 전에 산 옷에 문제가 있습니다. 교환하지 않고 입으려고 했는데 바꾸는 것이 좋을 것 같습니다. 직원과 이야기해 보세요.

직원: 어서 오세요. 무엇을 도와드릴까요?

나: _____
_____ .

1. 진 씨가 서비스 센터에 갔어요. 다음을 잘 듣고 질문에 답하세요.

02

1) 진 씨는 왜 서비스 센터에 갔어요?

2) 들은 내용과 같으면 ○, 다르면 × 표시를 하세요.

① 진 씨는 노트북을 새로 사려고 해요.　　　　　(　　　)
② 진 씨의 노트북은 소리가 나오지 않아요.　　　(　　　)
③ 진 씨는 노트북을 고치려면 돈을 내야 해요.　(　　　)

3) 진 씨는 물건을 어떻게 하기로 했어요?

2. 다음 대화를 잘 듣고 질문에 답하세요.

03

1) 들은 내용과 같으면 ○, 다르면 × 표시를 하세요.

① 안나 씨는 물건을 바꾸는 걸 별로 좋아하지 않아요.　　　　(　　　)
② 유진 씨는 스피커에 문제가 있어서 새 스피커를 샀어요.　　(　　　)
③ 유진 씨는 예전 휴대폰이 마음에 안 들어서 새로 바꿨어요.　(　　　)

2) 물건이 고장 났어요. 다음은 누구의 생각일까요?

① "어! 고장 났네. 다른 걸로 바꿔야지!"　　　　　　　　(　　　　)
② "어! 고장 났네. 수리해서 써야지. 바꾸는 게 더 귀찮아!"　(　　　　)

3) 다시 들으면서 중요한 내용을 메모해 보세요.

4) 여러분은 휴대폰이 고장 나면 어떻게 해요? 왜 그렇게 해요?

1. 다음 글을 읽고 질문에 답하세요.

하나전자 품질 보증서

항목	□ 휴대폰	□ 노트북	□ 컴퓨터	□ 카메라
구입 날짜	년	월		일
구입 장소				

※ 보증 기간은 구입한 날부터 1년입니다. (단, 휴대폰 배터리는 2년)
※ 보증 기간에는 수리비가 없습니다.
※ 보증 기간 이후에는 수리비가 있습니다.
※ 이 품질 보증서가 없으면 무료로 수리할 수 없습니다.
※ 수리는 전국의 하나전자 서비스 센터에서 할 수 있습니다.
※ 제품에 문제가 있을 경우, 구입한 날부터 1주일 이내에는 새 제품으로 교환할 수 있습니다.
• 하나전자 서비스 센터: 123-456-7890

1) 보증 기간 내에 무료로 수리하려면 무엇이 있어야 하나요?

2) 읽은 내용과 같으면 ○, 다르면 × 표시를 하세요.

① 보증 기간 이후에는 수리를 할 수 없어요. (   )
② 노트북 배터리는 보증 기간이 2년이에요. (   )
③ 하나전자의 모든 제품의 보증 기간은 같아요. (   )
④ 제품을 샀는데 문제가 있으면 1주일 안에는 새 제품으로 바꿀 수 있어요. (   )

2. 여러분 나라의 전자 제품 보증 기간은 언제까지예요?
어떤 경우에 무료로 수리가 가능해요?

새 어휘 💡

전자
품질 보증서
보증 기간

1. 여러분은 물건을 오래 쓰는 편이에요, 자주 바꾸는 편이에요? 아래에 메모해 보세요.

> • 물건을 오래 써요.　　　　　　　　　• 마음에 드는 물건으로 자주 바꿔요.

> • 쓰던 물건에 문제가 생기면 어떻게 해요?
> 　↳ _____ .
> • 그렇게 하는 이유가 뭐예요?
> 　↳ _____ .
> • 그렇게 했을 때 좋은 점이 뭐예요?
> 　↳ _____ .
> • 그렇게 했을 때 불편하거나 좋지 않은 점이 뭐예요?
> 　↳ _____ .

2. 메모를 보고 여러분의 경험을 써 보세요.

> ....
> ....
> ....
> ....
> ....

3. 쓴 내용을 발표해 보세요. 다른 사람들은 나와 어떤 점이 다른지 생각하면서 들어 보세요.

저는 물건을 사면 ….

4. 다른 사람의 발표를 듣고 여러분의 생각은 어떻게 달라졌어요?

1. 기념일에 하는 일과 관련된 어휘와 표현을 빈칸에 넣어 보세요.

기념행사를 하다	기념식이 열리다	기념일을 맞이하다	기념일을 챙기다
외식을 하다	꽃을 달아 드리다	이벤트를 준비하다	건강식품을 선물하다
상품권을 선물하다	케이크를 주문하다	편지를 쓰다	마음을 표현하다/전하다

밸런타인데이	
어린이날	

2. 여러분은 기념일에 뭘 했어요? 배운 어휘를 사용해서 기념일에 한 일을 쓰고 이야기해 보세요.

1) 성년의 날에 _____ .

2) 스승의 날에 _____ .

3) _____ .

3. 다음 표현을 듣고 따라 해 보세요.
01

1) • 어버이날에 부모님께 건강식품을 선물했어요.
   • 성년의 날에 20살이 된 친구에게 꽃을 선물했어요.

2) • 올해는 깜박하고 결혼기념일을 못 챙겼어요.
   • 너무 바빠서 어버이날 선물을 못 챙겼어요.

3) • 어린이날을 맞이해서 아이들과 여행을 가는 가족이 많습니다.
   • 세계 여성의 날을 맞이해서 여러 가지 기념행사가 열렸습니다.

새 어휘 💡

기념식이 열리다
건강식품을 선물하다
편지를 쓰다
마음을 표현하다/전하다

1. 다음 단어를 활용해서 문장을 완성해 보세요.

오다	읽다	일하다
만들다	시작하다	만나다
먹다		

1) 집에 **온 지** 두 시간 됐어요   .
2) _____ .
3) _____ .
4) _____ .

2. 다음과 같이 여러분이 자주 하는 일과 그렇지 않은 일을 '-(으)ㄴ 지'를 사용해서 쓰고 이야기해 보세요.

	○/×	써 보세요.
1) 영화관에 자주 가요.	○	영화관에 간 지 일주일 정도 됐어요 .
	×	영화관에 안 간 지 일 년이 넘었어요 .
2) 자전거를 자주 타요.		_____ .
		_____ .
3) 여행을 자주 가요.		_____ .
		_____ .
4) 책을 자주 읽어요.		_____ .
		_____ .

3. 다음의 상황을 보고 '-(으)ㄴ 지'를 사용해서 이야기해 보세요.

1) 도서관 이용자 ― 나(도서관 직원)

책을 아직 반납하지 않은 이용자가 있습니다. 도서관 직원이 되어서 도서관 이용자에게 전화로 반납을 부탁해 보세요.

> 나(직원): 안녕하세요? 세종도서관입니다. ○○○ 님이시죠?

> 이용자: 네. 맞습니다.

> 나: 책 반납 때문에 전화 드렸습니다. _____
> _____ .

2) 친구 ― 나

얼마 전에 노트북을 새로 샀습니다. 친구와 새로 산 노트북에 대해서 이야기해 보세요.

> 친구: 노트북 새로 샀어? 진짜 좋아 보인다. 언제 샀어?

> 나: _____
> _____ .

43

1. 다음 메시지를 보고 누가 무슨 말을 했는지 문장을 완성해 보세요.

1)
주말에 자전거 타러 가자.

2)
회의는 2시간 후에 합시다.

3)
우리 다음 주에 같이 한국 음식 만들어요.

4)
일 끝나고 같이 밥 먹어요.

1) 친구가 <u>주말에 자전거 타러 가**자고 했어요**</u> .

2) 팀장님께서 _____ .

3) 한국 친구가 _____ .

4) 회사 동료가 _____ .

---

2. 다음 이메일을 읽고 팀장이 직원들에게 회의에 대해 뭐라고 했는지 '-자고 하다'를 사용해서 쓰고 이야기해 보세요.

> ✉   – ↗ ×
>
> 제목: 회의 날짜 변경
> 보낸 사람: kimms@koreakk.com   08-14 17:03
>
> 다음 주 회의 준비 때문에 메일을 보냅니다. 먼저 회의 날짜는 화요일에서 수요일로 바꿉시다. 수요일 2시에 하면 좋겠습니다. 그리고 회의는 1시간 정도만 짧게 합시다. 각자 회의에서 하고 싶은 이야기를 짧게 메모로 정리해서 옵시다. 그러면 회의가 금방 끝날 것 같습니다. 그럼 잘 부탁합니다.
>
> **보내기** A ☺ ↧▯ 🖼 ⌐ ☆ 🗑   ⋮

팀장님께서 회의 날짜를 바꾸자고 했습니다. 그리고 _____

_____ .

---

3. 다음의 상황을 보고 '-자고 하다'를 사용해서 이야기해 보세요.

1) 형 / 오빠 ― 나(동생)

아버지 생신에 뭘 하면 좋을지 아버지께 물어 봤습니다. 아버지께서 뭐라고 말씀하셨는지 형 / 오빠하고 이야기해 보세요.

> 아버지: 가족들과 같이 여행을 가고 싶다.

> 형 / 오빠: 아버지께서 생신에 뭐 하고 싶다고 하셨어?

> 나: _____
>
> _____ .

2) 동아리 친구 ― 나

동아리 선배가 콘서트에 같이 갈 사람을 찾고 있습니다. 친구에게 선배의 이야기를 전해 주세요.

> 선배: 같이 유새이 콘서트 보러 가지 않을래?

> 나: 혹시 유새이 좋아해? 유진 선배가 _____
>
> _____ .

> 친구: 그래? 나도 유새이를 좋아하는데 같이 갈까?

1. 안나 씨와 유진 씨가 어떤 식당에 대해 이야기해요. 잘 듣고 질문에 답하세요.

1) 유진 씨가 가 본 식당은 어땠어요?

2) 안나 씨는 그 식당에 언제 가려고 해요?

3) 유진 씨가 간 식당은 기념일에 온 손님에게 어떤 서비스를 해 줘요?

2. 다음을 잘 듣고 질문에 답하세요.

1) 들은 내용과 같으면 ○, 다르면 × 표시를 하세요.
① 어머니에게 건강식품을 선물하는 사람이 가장 많았어요.   (   )
② 작년과 올해의 어버이날 가장 인기 있는 선물은 달라요.   (   )
③ 올해 가장 인기 있는 어버이날 선물은 용돈이었어요.   (   )

2) 다시 들으면서 중요한 내용을 메모해 보세요.

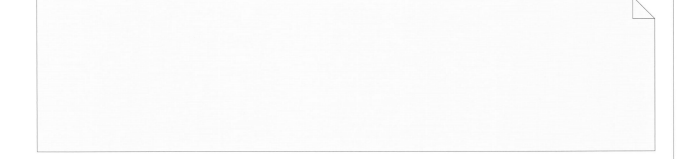

3) 여러분은 어버이날에 부모님께 어떤 선물을 하고 싶어요?

1. 다음 글을 읽고 질문에 답하세요.

'환경의 날'의 유래

6월 5일은 세계 환경의 날입니다. 1972년 6월에 스웨덴에서 세계 113개 나라의 대표들이 모여서 '유엔 인간 환경 회의'를 했습니다. 그리고 이 회의에서 환경을 보호하기 위해 여러 나라가 함께 노력하자는 공동 선언을 발표하고 6월 5일을 '환경의 날'로 정했습니다.

①

'환경의 날'에는 여러 가지 기념행사가 열립니다. 올해 서울에서 열린 '환경의 날' 기념행사에서는 '플라스틱 없는 하루'를 보내자고 제안했습니다. 그래서 기념행사에서 플라스틱 컵을 사용하지 않고, 다회용 컵을 가져온 사람들에게 커피를 무료로 나눠 주었습니다.

②

환경 문제를 해결하는 것은 쉽지 않고 환경을 다시 살리려면 많은 시간이 걸립니다. 하지만 우리가 쉽게 할 수 있는 일도 있습니다. 일회용 컵을 사용하지 않고 다회용 컵 사용하기, 비닐 대신 장바구니 쓰기 등 평소에 할 수 있는 일을 찾아보세요. 작은 노력이지만 환경을 보호할 수 있습니다.

1) 위의 빈칸에 들어갈 알맞은 문단 제목을 써 보세요.

① ....

② ....

2) 읽은 내용과 같으면 ○, 다르면 ✕ 표시를 하세요.
   ① '환경의 날'은 1972년에 만들어졌습니다. ( )
   ② 서울에서 열린 기념행사에 참여한 모든 사람들에게 무료로 다회용 컵을 나누어 주었습니다. ( )

2. 여러분이 알고 있는 '환경의 날'과 비슷한 기념일이 있어요?
여러분이 '환경의 날'에 하고 싶은 일은 뭐예요?

새 어휘 💡

플라스틱
다회용
일회용
비닐
장바구니

1. 여러분의 기억에 남는 특별한 날은 언제예요?
여러분의 기억에 남는 특별한 날을 생각하면서 간단하게 메모해 보세요.

기억에 남는 특별한 날	·
그날 한 일	· · ·
그날이 기억에 남는 이유	·

2. 메모를 보고 여러분이 보낸 특별한 날에 대한 글을 써 보세요.

3. 쓴 내용을 발표해 보세요. 다른 사람의 발표를 들으면서 들은 내용을 메모해 보세요.

제가 기억하는 가장 특별한 날은 ….

4. 다른 사람과 내가 발표한 내용을 비교해 보세요. 사람들은 보통 어떤 날을 '특별한 날'이라고 기억하는 것 같아요?

1. 기념일 행사와 관련된 어휘와 표현을 빈칸에 넣어 보세요.

나가다	금상	진출하다	신청하다	상금	타다	받다
통과하다	올라가다	참가하다	떨어지다	탈락하다	제출하다	기념품
대상	열리다	은상	동상	작성하다	상품	

에 ─── 나가다

대회 ───

본선 ───

상 ───

2. 여러분은 행사나 대회에 참가한 적이 있어요? 배운 어휘를 사용해서 특별한 행사나 대회에 참가한 경험을 쓰고 이야기해 보세요.

1) 무슨 대회에 나갔어요?

                                                                             .

2) 어떻게 신청했어요?

                                                                             .

3) 대회에 참가한 결과는 어땠어요?

                                                                             .

3. 다음 표현을 듣고 따라 해 보세요.
01

1) • 한글날에 한국어 말하기 대회가 열렸습니다.
   • 추석에 한국 음식 만들기 대회가 열렸습니다.

2) • 말하기 실력을 확인해 보려고 말하기 대회에 참가했습니다.
   • 특별한 경험을 해 보고 싶어서 문화 행사에 참가했습니다.

3) • 말하기 대회에 나가서 최우수상을 받았어요.
   • 문화 행사에 참가해서 기념품을 받았어요.

새 어휘 💡

떨어지다
탈락하다
대상
금상
은상
동상
상품

48

1. 다음 단어를 활용해서 문장을 완성해 보세요.

환경을 보호하다	한국어를 잘하다	한국 친구를 사귀다
이사하다	만들다	참가하다
1등을 하다		

1) 한국어를 잘하**기 위해서** 말하기 연습을 많이 해야 합니다 .

2) .

3) .

4) .

2. 여러분이 하고 있는 일을 '을/를 위해서'를 사용해서 쓰고 이야기해 보세요.

1) 가족 → 가족을 위해서 열심히 일을 하고 있어요 .

2) 행복 → .

3) 건강 → .

4) 나 → .

3. 다음의 상황을 보고 '-기 위해서'를 사용해서 이야기해 보세요.

1) 친구 ― 나

친구 '유진'의 생일입니다. 유진의 생일을 축하하기 위해서 무엇을 하면 좋을지 이야기해 보세요.

> 친구: 유진 생일에 뭐 하면 좋을까?

> 나: 글쎄. 아! _____
> _____ .

2) 후배 – 나(선배)

후배가 취직 준비를 어떻게 했는지 질문합니다. 선배가 되어서 후배에게 필요한 정보를 알려 주세요.

> 후배: 선배님, 좋은 회사에 취직하려면 뭐부터 준비하면 좋을까요?

> 나: _____
> _____ .

1. 다음 단어를 활용해서 문장을 완성해 보세요.

입다	타다	쓰다
주다	청소하다	듣다
만들다		

1) 차가 막히니까 지하철을 타**야겠어요** .

2) _____ .

3) _____ .

4) _____ .

2. 다음의 상황을 알게 된 후, 여러분이 해야겠다고 생각한 일을 '-아야겠다 / 어야겠다'를 사용해서 쓰고 이야기해 보세요.

1) 친구가 한국어능력시험 4급에 합격했어요.

• 저도 내년에 한국어능력시험을 봐야겠어요 .

• _____ .

2) 집 근처에 멋진 카페가 생겼어요.

• _____ .

• _____ .

3) 요즘 취미로 테니스를 치는 사람이 많아졌어요.

• _____ .

• _____ .

3. 다음의 상황을 보고 '-아야겠다 / 어야겠다'를 사용해서 이야기해 보세요.

1) 선배 — 나(후배)

전공 수업에 대해서 선배에게 물어봤습니다. 이 수업을 신청하는 것이 좋을지 선배와 이야기해 보세요.

선배: 한국 문화의 이해는 수업은 재미있는데 시험이 좀 어려웠어.

나: 그래요? 음. 그럼 _____
_____ .

2) 부장님 — 나

사무실 에어컨이 고장 난 것 같습니다. 어떻게 해야 할지 이야기해 보세요.

부장님: 어, 에어컨이 고장 난 것 같네요.

나: 앗, 그럼 _____
_____ .

1. 오늘은 한글날을 기념하기 위한 행사를 하는 날이에요. 다음을 잘 듣고 질문에 답하세요.

1) 유진 씨는 지금 뭐 하고 있어요?

2) 여자는 누구예요?

3) 편지 쓰기 대회는 언제 시작해요?

2. 다음을 잘 듣고 질문에 답하세요.

1) 들은 내용과 같으면 ○, 다르면 ✕ 표시를 하세요.

① 문맹인 사람은 자기 나라의 글자로 쓴 글을 읽거나 쓸 수 없어요. (　　　)

② 세종대왕상은 한국어를 외국인들에게 소개한 사람에게 주는 상이에요. (　　　)

③ 세종 대왕이 누구나 배우기 쉬운 글자를 만들었기 때문에 이 상에 (　　　)
세종대왕상이라는 이름을 붙였어요.

2) 다시 들으면서 중요한 내용을 메모해 보세요.

3) '한글'을 처음 배웠을 때 어땠어요? 한글에 대한 첫인상을 이야기해 보세요.

1. 다음 글을 읽고 이야기해 보세요.

'환웅'은 하늘의 왕의 아들이었습니다. 환웅은 하늘에 살았지만 하늘 아래에 사는 사람들에게 관심이 많았습니다. 그래서 어느 날 아버지에게 사람들이 사는 곳에 가서 살고 싶다고 말했습니다. 아버지의 허락을 받은 환웅은 신하들과 함께 사람들이 사는 곳으로 갔습니다. 그런데 그곳에서 곰 한 마리와 호랑이 한 마리를 만났습니다. 곰과 호랑이는 사람이 되고 싶다고 말했습니다. 환웅은 곰과 호랑이에게 말했습니다. "동굴 속에서 마늘과 쑥만 먹으면서 기다리세요. 동굴 밖으로 나오지 않고 100일이 지나면 사람이 될 수 있습니다."

곰은 동굴 밖을 나가지 않고 100일 동안 마늘과 쑥만 먹었습니다. 하지만 호랑이는 참지 못하고 100일이 되기 전에 동굴 밖으로 나갔습니다. 100일을 기다린 곰은 여자가 되었습니다. 여자가 된 곰은 환웅과 결혼을 했습니다. 그리고 아들을 한 명 낳았습니다.

아들의 이름은 단군왕검이었고, 이 사람은 한반도에 처음으로 나라를 세웠습니다. 개천절은 바로 이 단군왕검이 나라를 세운 것을 기념하는 날입니다.

1) 곰과 호랑이는 무엇이 되고 싶었어요? 그래서 무엇을 했어요?

2) '단군왕검'은 어떤 사람이에요?

3) 이 글은 〈단군신화〉예요. 〈단군신화〉는 어떤 이야기예요?

2. 여러분 나라에도 비슷한 이야기가 있어요? 여러분 나라의 신화를 이야기해 보세요.

새 어휘 💡

허락을 받다
동굴
한반도
나라를 세우다

1. 여러분 나라에는 어떤 국경일이 있어요? 여러분 나라의 국경일을 소개하는 글을 쓰기 위해서 간단하게 메모해 보세요.

여러분 나라의 대표적인 국경일	· ·
국경일의 의미 (무엇을 기념하는 날인지)	· ·
국경일에 하는 일	· · ·

2. 메모를 보고 여러분 나라의 국경일 중 하나를 소개하는 글을 써 보세요.

.

3. 쓴 내용을 발표해 보세요. 다른 사람들은 어떤 국경일을 소개했는지 잘 들어 보세요.

우리 나라에는 ….

4. 자신이 쓴 글과 다른 사람이 쓴 글을 서로 비교해서 읽어 보세요. 다른 사람이 쓴 글과 내 글을 비교해 보고 자신이 쓴 글에서 고칠 점은 무엇인지 생각해 보세요.

1. 날씨와 관련된 어휘와 표현을 빈칸에 넣어 보세요.

무더위	한파	푹푹 찌다	포근하다	소나기
꽃샘추위	장마	열대야	폭설	태풍

한여름	
한겨울	

2. 여러분은 이런 날씨에 기분이 어때요? 배운 어휘를 사용해서 쓰고 이야기해 보세요.

1) 화창한 날에는 ....

2) 비 오는 날에는 ....

3) ....

3. 다음 표현을 듣고 따라 해 보세요.
01

1) • 제 동생은 더위에 약해서 여름을 안 좋아해요.
    • 저는 추위에 약해서 겨울에 자주 감기에 걸립니다.

2) • 장마가 끝나면 무더위가 시작되겠습니다.
    • 주말이 지나면 푹푹 찌기 시작할 거 같아.

3) • 신경이 날카로울 때 음악을 들으면 편안해져.
    • 외로울 때 친구와 맛있는 음식을 먹으면 괜찮아져.

새 어휘 💡

한파
소나기
꽃샘추위
열대야
폭설

1. 다음 단어를 활용해서 문장을 완성해 보세요.

좋다 행복하다 편안하다
괜찮다 어둡다 다르다
깨끗하다

1) 친구들과 함께 웃으면서 이야기를 나누면 행복**해집니다**   .

2) 예전에는 김치가 싫었는데   .

3)   밖에 나가지 마세요.

4)   .

2. 다음 그림을 보고 과거와 현재의 모습이 어떻게 달라졌는지 '-아지다/어지다'를 사용해서 써 보세요.

과거

현재

1) 도로에 자동차가 많아졌어요   .

2)   .

3)   .

3. 다음의 상황을 보고 '-아지다/어지다'를 사용해서 이야기해 보세요.

1) 친구 ― 나

친구가 한국어를 공부한 지 반 년이 되었습니다.
친구의 한국어 실력을 칭찬해 보세요.

> 나: 와, _____
> _____.

2) 친구 ― 나

친구와 날씨 이야기를 합니다. 일기예보를 보면서
이야기해 보세요.

> 친구: 요즘 너무 춥지? 계속 이렇게 추울까?

> 나: 아니. 내일부터는 _____
> _____.

1. 다음 단어를 활용해서 문장을 완성해 보세요.

자다	산책하다	고향에 가다
만들다	멀다	비싸다
사다		

1) 오늘은 비가 오니까 <u>산책하**는 대신에** 영화를 보자</u> .

2) 시간이 없는데 케이크를 _____ .

3) _____ .

4) _____ .

2. 다음의 일을 하는 대신에 할 수 있는 일을 '-는/(으)ㄴ 대신에'를 사용해서 써 보세요.

1) **결혼하다** _____ .

2) **여행 가다** _____ .

3) **대학교에 가다** _____ .

4) _____ .

3. 다음 상황을 보고 '-는/(으)ㄴ 대신에'를 사용해서 이야기해 보세요.

1) 교수님 — 나(학생)

지도 교수님께 졸업 후 계획을 이야기합니다. 교수님께 졸업 후에 진학을 할지 취업을 할지 말씀 드려 보세요.

교수: 이번에 졸업하고 어떻게 할 건지 고민해 봤어요?

나: 네. 저는 _____

_____ .

2) 친구 — 나

친구와 여행을 가기로 했습니다. 그런데 여행비가 없어 부담스러워합니다. 친구에게 이야기해 보세요.

친구: 나도 여행을 같이 가고 싶은데 지금 돈이 별로 없어서 고민 중이야.

나: 너무 부담스럽게 생각하지 마. _____

_____ .

1. 재민 씨와 마리 씨가 날씨와 기분에 대해 이야기해요. 다음을 잘 듣고 질문에 답하세요.

1) 오늘 날씨는 어때요?

2) 마리 씨와 재민 씨는 지금 무엇을 하고 있어요?

3) 마리 씨의 기분은 어떻게 달라졌어요?

2. 다음을 잘 듣고 질문에 답하세요.

1) 들은 내용과 같으면 ○, 다르면 ✕ 표시를 하세요

① 자외선 차단제는 여러 번 덧발라야 해요.　　　　　　　　(　　　)
② 햇빛을 받으면 우울증을 예방할 수 있어요.　　　　　　　(　　　)
③ 우울증을 예방하려면 햇빛이 강한 시간에 외출하는 것이 좋아요.　(　　　)

2) 다시 들으면서 중요한 내용을 메모해 보세요.

3) 여러분은 우울한 기분이 들 때 어떻게 해요? 이야기해 보세요.

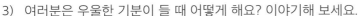

1. 다음 글을 읽고 질문에 답하세요.

음식으로 기분을 조절해 보자

우리의 기분은 날씨의 영향도 받지만 음식의 영향도 받습니다. 음식으로 기분을 조절하는 방법에 대해 알아볼까요? 우선 기분이 우울할 때에는 초콜릿을 먹으면 좋습니다. 초콜릿에는 신경을 안정시켜 주는 마그네슘이 있습니다. 또한 엔도르핀을 나오게 만들어 우리의 기분을 좋게 합니다.

집중이 안 될 때에는 박하 차나 박하사탕을 먹으면 좋습니다. 박하의 쏘는 맛이 안정감을 주어 한 가지 일에 집중해야 할 때 도움이 됩니다. 피곤할 때에는 레몬이나 오렌지가 좋습니다. 레몬이나 오렌지의 신맛은 식욕을 좋게 만들어 우리의 몸을 빨리 회복시킵니다. 화가 날 때에는 사과를 먹어 봅시다. 사과를 먹으면 소화가 잘 돼서 몸의 긴장을 풀어 줍니다.

이처럼 음식은 우리의 기분에 여러 영향을 줍니다. 여러분도 음식으로 기분을 조절해 보는 것이 어떨까요?

1) 윗글을 보고 다음과 같은 기분일 때 먹으면 좋은 음식은 무엇인지 써 보세요.

기분	먹으면 좋은 음식	기분	먹으면 좋은 음식
우울할 때		집중이 안 될 때	
피곤할 때		화가 났을 때	

2) 여러분의 기분에 영향을 주는 음식에는 무엇이 있어요?

2. 날씨나 음식 말고 여러분의 기분에 영향을 주는 것은 또 무엇이 있을까요? 이야기해 보세요.

제 기분은 음악의 영향을 많이 받아요.
그래서 슬플 때에는 밝은 음악을 들어요.
그러면 기분이 좋아져요.

새 어휘 💡

조절하다
마그네슘
엔도르핀
집중
박하

1. 우리는 항상 행복한 기분만을 느낄 수 없어요. 여러분은 기분이 안 좋을 때 어떻게 해요? 아래 내용을 간단하게 메모해 보세요.

> | 여러분은 언제
기분이 안 좋아져요? | •
• |
> | 그 이유는 뭐예요? | •
• |
> | 기분이 좋아지기 위해
어떤 노력을 해요? | •
• |

2. 메모를 보고 기분이 안 좋을 때 좋게 만드는 방법을 써 보세요.

_____

_____

_____

_____

_____ .

3. 쓴 내용을 발표해 보세요. 다른 사람들은 기분이 안 좋을 때 어떻게 하는지 들어 보세요.

4. 다른 사람들은 기분이 안 좋을 때 어떻게 해요? 가장 마음에 드는 방법을 이야기해 보세요.

1. 빈칸에 들어갈 적절한 단어를 찾아 써 보세요.

열	삐다	눈병	배탈
붓다	충치	두통	콧물
상처	기침	충혈되다	간지럽다

1)

열 · 나다 ·

2)

두통 · 생기다 ·

3)

눈 · 목 · 얼굴 · 손목 ·

4)

발목 · 허리 · 손가락 · 다리 ·

2. 여러분은 다음과 같은 증상이 있을 때 어떻게 해요? 배운 어휘를 사용해서 쓰고 이야기해 보세요.

1) 목이 아프면 _____ .

2) 열이 심하면 _____ .

3) _____ .

3. 다음 표현을 듣고 따라 해 보세요.

01

1) • 감기에 걸리면 따뜻한 물을 자주 마셔요.
  • 잠이 안 오면 우유를 데워 드세요.

2) • 눈이 충혈되면 눈을 손으로 만지지 않는 게 좋아요.
  • 상처가 생기면 상처 부위에 물이 닿지 않도록 하는 게 좋아요.

3) • 다리를 삐어서 냉찜질을 했어요.
  • 목이 아파서 마스크를 썼어요.

새 어휘 💡

상처
눈병
콧물

1. 다음 단어를 활용해서 문장을 완성해 보세요.

| 쉬다 | 오다 | 준비하다 |
| 먹다 | 씻다 | 놀다 |
| 운동하다 |

1) 내일 일이 많으니까 일찍 오**도록 하**세요   .

2) 열이 나면   .

3)   .

4)   .

2. 여러분은 다음의 상황에서 어떤 이야기를 해 주는 게 좋다고 생각해요? '-도록 하다'를 사용해서 써 보세요.

1) 가벼운 감기에 걸렸어요.

- 푹 쉬도록 하세요.
- 따뜻한 물을 마시도록 하세요.
-
-

2) 요즘 불면증이 심해요.

- 낮에 커피를 마시지 않도록 해요.
- 낮잠을 자지 않도록 하세요.
-
-

3) 생활비가 항상 부족해요.

- 아르바이트를 해 보도록 해요.
- 필요 없는 물건을 사지 않도록 해 보세요.
-
-

3. 다음의 상황을 보고 '-도록 하다'를 사용해서 이야기해 보세요.

1) 동생 — 나

요즘 동생이 집에 늦게 들어옵니다. 동생에게 주의를 줘 보세요.

> 동생: 다녀왔어.

> 나: 오늘도 늦었네. _____
> _____.

2) 후배 — 나(선배)

후배가 요즘 취업 스트레스가 심합니다. 후배에게 스트레스를 푸는 방법을 이야기해 주세요.

> 후배: 선배는 스트레스를 받으면 어떻게 풀어요? 저는 요즘 취업 준비 때문에 스트레스가 너무 심해요.

> 나: 스트레스를 풀려면 _____
> _____.

1. 다음 단어를 활용해서 문장을 완성해 보세요.

쉬다	먹다	준비하다
공부하다	씻다	가다
만들다		

1) 밥을 먹**어야** _____ 약을 먹을 수 있어요.

2) _____ 해외여행을 갈 수 있어요.

3) _____ .

4) _____ .

2. 여러분은 건강한 생활을 하고 있어요? 어떻게 해야 건강한 생활을 할 수 있을까요?
다음을 보고 '-아야/어야'를 사용해서 중요하다고 생각하는 것을 세 가지 쓰고 친구와 이야기해 보세요.

규칙적으로 운동하다	긍정적으로 생각하다	휴대폰 사용을 줄이다
일찍 자고 일찍 일어나다	과일과 채소를 많이 먹다	술과 담배를 하지 않다
스트레스를 줄이다	많이 웃다	물을 많이 마시다

1) 규칙적으로 운동해야 건강한 생활을 할 수 있어요 .

2) _____ .

3) _____ .

4) _____ .

3. 다음의 상황을 보고 '-아야/어야'를 사용해서 이야기해 보세요.

1) 후배 ─ 나(선배)

후배가 한국어 발음 때문에 고민하고 있습니다.
후배와 해결 방법을 이야기해 보세요.

후배: 선배, 어떻게 하면 한국어 발음이 좋아질까요?

나: _____
_____ .

2) 친구 ─ 나

친구가 누나와 다퉜습니다. 이럴 때 어떻게 하면
좋은지 친구에게 조언해 주세요.

친구: 아침에 누나하고 싸우고 나왔는데 마음이 계속
불편하네. 어떻게 해야 화해할 수 있을까?

나: _____
_____ .

1. 의사와 환자의 대화예요. 다음을 잘 듣고 질문에 답하세요.

1) 남자는 언제 다쳤어요?

2) 남자는 어디를 다쳤어요?

3) 남자는 왜 다쳤어요?

4) 남자가 이어서 할 행동은 뭐예요?

2. 다음을 잘 듣고 질문에 답하세요.

1) 들은 내용과 같으면 ○, 다르면 ✕ 표시를 하세요.

① 다리가 부으면 온찜질이 좋아요.   (   )

② 이를 빼고 나서 열이 나면 냉찜질이 도움이 돼요.   (   )

③ 다친 부위를 부드럽게 만들려면 온찜질을 해야 해요. (   )

2) 다시 들으면서 중요한 내용을 메모해 보세요.

3) 여러분은 언제 찜질을 해요? 이때 온찜질과 냉찜질 중 무엇을 해요? 이야기해 보세요.

1. 다음 글을 읽고 질문에 답하세요.

밥이 보약이다

　　한국에는 '밥이 보약이다'라는 말이 있습니다. 보약은 아플 때 먹는 약이 아닙니다. 우리 몸을 보호하고 건강하게 만들기 위해 먹는 약을 보약이라고 합니다. 그래서 한국 사람들은 몸이 안 좋으면 먼저 밥을 제대로 챙겨 먹으려고 합니다. 즉 균형 있는 식사만큼 몸에 좋은 것은 없다고 생각합니다. 병원 의사들도 진료를 하면서 밥은 잘 먹는지를 꼭 물어봅니다. 그리고 식사는 거르지 말아야 한다는 말도 잊지 않습니다. 잡곡 위주나 현미식으로 바꾸는 것이 좋을 거라고 말하기도 합니다. 이처럼 한국 사람들은 건강에 있어서 밥의 역할이 상당히 중요하다고 믿습니다. 어떤 밥을 어떻게 먹느냐에 따라 건강해질 수도 있고 몸을 망칠 수도 있다고 생각하기 때문입니다.

1) '밥이 보약이다'라는 말은 무슨 뜻이에요?

2) 여러분은 '밥이 보약이다'라는 말에 동의해요?

3) 또 무엇이 보약이 될 수 있을까요? 그 이유도 함께 이야기해 보세요.

　　　　　　이/가 보약이에요. 왜냐하면 ….

---

2. 여러분 나라에서는 가벼운 병에 걸렸을 때 어떤 음식을 먹어요? 친구와 이야기해 보세요.

	증상	음식
한국	감기에 걸렸을 때	생강차

새 어휘 💡

보약
균형
거르다
잡곡
현미
망치다

1. 여러분은 건강해지기 위해 어떤 노력을 하고 있어요? 건강한 삶과 관련하여 아래 내용을 간단하게 메모해 보세요.

건강한 신체	• 몸이 건강해야 하는 이유는 뭘까요? • 어떻게 하면 건강을 지킬 수 있을까요?
건강한 마음	• 건강한 마음이란 무엇인가요? • 건강한 마음이 중요한 이유는 뭘까요? • 어떻게 하면 건강한 마음을 가질 수 있을까요?
건강한 식습관	• 어떤 식습관이 건강한 식습관일까요? • 여러분은 건강한 식습관을 가지고 있어요? • 여러분이 고치고 싶은 식습관은 뭔가요?

2. 위의 주제 중 하나를 선택하여 써 보세요.

_____

_____

_____

_____

_____

3. 쓴 내용을 발표해 보세요. 다른 사람들은 어떤 주제에 관심이 있는지 들어 보세요.

4. 이외에도 우리가 건강한 삶을 위해 어떠한 노력을 할 수 있는지 이야기해 보세요.

1. 여가 활동의 장점과 관련된 어휘와 표현을 빈칸에 넣어 보세요.

> 스트레스가 풀리다　　　기분 전환이 되다　　　생활에 활기가 생기다　　　정보를 얻다
> 일상에서 벗어나다　　　자기 계발을 하다　　　새로운 사람을 만나다　　　문화 생활을 즐기다
> 쓸데없는 생각이 사라지다　　　뿌듯한 기분이 들다　　　성취감을 느끼다　　　새로운 것을 배우다
> 새로운 경험을 하다

여가 활동의 종류	여가 활동을 하는 이유
1) 영화 감상	
2) 에스엔에스(SNS)	
3) 운동	
4)	

2. 여러분이 추천하고 싶은 여가 활동은 뭐예요? 배운 어휘를 사용해서 쓰고 이야기해 보세요.

1) 어떤 활동을 추천하고 싶어요?

　　　　　　　　　　　　　　　　　　　　　　　　　　　.

2) 그 활동의 좋은 점은 뭐예요?

　　　　　　　　　　　　　　　　　　　　　　　　　　　.

3) 어떤 사람에게 추천하고 싶어요?

　　　　　　　　　　　　　　　　　　　　　　　　　　　.

3. 다음 표현을 듣고 따라 해 보세요.
01

1) • 집에서 드라마나 영화 보는 걸 좋아해요.
　• 경기장에 가서 스포츠 경기 보는 걸 좋아해요.

2) • 한국 사람들에게 인기 있는 여가 활동 중 하나는 등산입니다.
　• 젊은 사람들에게 인기 있는 여가 활동 중 하나는 에스엔에스(SNS) 활동입니다.

3) • 요즘은 여가 시간을 자기 계발을 위해서 쓰는 사람들도 많습니다.
　• 여가 시간에 특별한 활동을 하지 않고 쉬면서 보내는 사람들도 있습니다.

새 어휘

새로운 경험을 하다
새로운 것을 배우다
문화 생활을 즐기다
정보를 얻다

1. 다음 단어를 활용해서 문장을 완성해 보세요.

연습하다	듣다	그리다
만들다	읽다	쓰다
만나다		

1) 신나는 노래를 듣**다 보면** 기분이 좋아져요   .

2) _____ .

3) _____ .

4) _____ .

2. '-다 보면'과 '-다 보니까'를 사용해서 질문에 답을 쓰고 이야기해 보세요.

1) 여러분이 자주 가는 곳은 어디예요? 그곳에 어떻게 가요?

제가 자주 가는 카페는 회사 근처에 있어요. 회사에서 걸어서 100m쯤 가다 보면 나와요   .

_____ .

2) 여러분은 한국어를 어떻게 잘하게 됐어요?

한국어 단어를 매일 외우다 보니까 잘하게 됐어요. 매일 5개씩 단어를 외우다 보면 도움이 될 거예요   .

_____ .

3. 다음의 상황을 보고 '-다 보면'을 사용해서 이야기해 보세요.

1) 테니스 수업 수강생 ― 나(테니스 강사)

나는 테니스를 가르치는 선생님입니다. 학생에게 테니스를 어떻게 하면 잘 칠 수 있는지 알려 주세요.

> 학생: 선생님, 테니스를 잘 치려면 어떻게 하면 돼요?
>
> 나: _____
> _____ .

2) 친구 ― 나

친구가 요즘 우울해서 힘들다고 합니다. 어떻게 하면 기분이 좋아질지 친구와 이야기해 보세요.

> 친구: 요즘 계속 우울해서 너무 힘들어. 어떻게 해야 기분이 좋아질까?
>
> 나: _____
> _____ .

1. 다음 단어를 활용해서 문장을 완성해 보세요.

맛있다	덥다	좋다
입다	사다	먹다
쓰다		

1) 8월에 제주도에 가 보니까 많이 덥**더라고요** .

2) _____ .

3) _____ .

4) _____ .

2. 다음의 질문에 '-더라고요'를 사용해서 답을 쓰고 이야기해 보세요.

1) 한국 음식을 먹어 봤어요? 어땠어요?

_____ .

2) 유명한 관광지에 가 봤어요? 어땠어요?

_____ .

3) 사람들은 요즘 무엇에 관심이 많아요?

_____ .

4) 여러분의 친구에 대해 새로 알게 된 것이 있어요?

_____ .

3. 다음의 상황을 보고 '-더라고요'를 사용해서 이야기해 보세요.

1) 점원 ─ 나(손님)

어제 가게에서 옷을 샀습니다. 그런데 집에 가서 보니까 옷에 문제가 있었습니다. 점원에게 옷에 어떤 문제가 있는지 이야기해 보세요.

점원: 어서 오세요. 무엇을 도와드릴까요?

나: 이거 어제 산 옷인데요. _____

_____ .

2) 친구 ─ 나

나는 요즘 테니스를 배우기 시작했습니다. 테니스 배우는 것이 어떤지 친구와 이야기해 보세요.

친구: 요즘 테니스 배운다고 했지? 테니스 배워 보니까 어때?

나: _____

_____ .

1. 마리 씨가 문의 전화를 해요. 다음을 잘 듣고 질문에 답하세요.

　1) 마리 씨는 어디에 전화했어요?

　2) 마리 씨는 여기에 왜 전화했어요?

　3) 마리 씨가 듣고 싶은 수업은 언제 해요?

2. 다음을 잘 듣고 질문에 답하세요.

　1) 들은 내용과 같으면 ○, 다르면 ✕ 표시를 하세요.

　　① 여자가 좋아하는 여가 활동은 힘들지 않고 간단해요.　　　　　　　(　　　)
　　② 여자는 여가 시간에 집 근처 카페에서 시간을 보내는 걸 좋아해요.　(　　　)
　　③ 여자는 집에서 간식을 먹을 때도 카페에서 파는 것처럼 보기 좋게 준비해요. (　　　)

　2) 다시 들으면서 중요한 내용을 메모해 보세요.

　3) 여러분은 집에 있을 때 주로 무엇을 하면서 시간을 보내요?

1. 다음 글을 읽고 질문에 답하세요.

은퇴, 활기찬 여가 시간을 보내는 방법
68세 이석호 씨, "젊었을 때 못 한 일, 이제 다 해 봐야죠!"

• **은퇴를 하신 후에는 여가 시간이 많아지셨죠?**

"그렇죠. 회사 다닐 때는 시간이 없었어요. 매일 일만 하고, 일이 끝난 후에는 특별한 일을 할 생각을 못 했어요. 그냥 집에서 쉬는 것이 제일 좋다고 생각했죠. 그런데 은퇴를 하고 나니까 시간이 많은데 뭘 해야 할지 모르겠더라고요. 그래서 하고 싶었는데 못 해 본 일들을 해 보자고 생각했어요."

• **그럼 주로 여가 시간에는 무엇을 하시나요?**

"요즘은 은퇴한 사람들도 배울 것이 참 많아요. 저는 요즘 글쓰기를 배우고 있어요. 저는 평범한 회사원이었는데요. 보고서는 많이 썼지만 개인적인 글을 쓸 일은 없었죠. 그런데 저도 제 이야기를 한번 써 보고 싶었어요. 그렇다고 집에서 글만 쓰는 건 아니고, 시간 날 때마다 나가서 오토바이 타는 것도 좋아합니다."

• **오토바이를 타기 시작한 것도 은퇴를 하신 후부터인가요?**

"네. 젊었을 때부터 오토바이에 관심이 많았어요. 그런데 그때는 시간이 없었죠. 그래서 은퇴를 한 후에 저한테 은퇴 기념으로 오토바이를 선물했습니다. 그때부터 시간이 날 때마다 오토바이를 타고 여행을 다녔어요. 내년에는 오토바이를 타고 전국을 여행해 보고 싶은 생각도 있어요. 그리고 오토바이 여행기를 책으로 내고 싶습니다."

1) 이 사람은 여가 시간에 무엇을 해요?

2) 이 사람은 내년에 무엇을 할 계획이 있어요?

2. 여러분은 은퇴 후에 해 보고 싶은 일이 있어요? 어떻게 여가 시간을 보내고 싶어요? 함께 이야기해 보세요.

새 어휘 💡

활기차다
은퇴하다
여행기

70

1. 여러분은 여가 시간을 어떻게 보내는 것이 좋다고 생각해요? 여가 활동의 중요성에 대한 글을 쓰기 위해 메모해 보세요.

사람들이 주로 하는 여가 활동	·
	·

여가 활동이 필요한 이유	·
	·
	·

2. 메모를 보고 여러분이 생각하는 여가 활동의 중요성에 대한 글을 써 보세요.

_____

_____

_____

_____

_____

_____ .

3. 쓴 내용을 발표해 보세요. 다른 사람들은 여가 활동이 필요한 이유가 뭐라고 생각하는지 잘 들어 보세요.

요즘에는 여가 시간에 ….

4. 다른 사람에게 권하고 싶은 여가 활동은 무엇인지, 왜 권하고 싶은지 이야기해 보세요.

1. 대중문화의 감상과 관련된 어휘와 표현을 빈칸에 넣어 보세요.

액션	멜로	코미디	공포	사극
콘서트	연주회	뮤지컬	비보잉(B-boying)	케이팝(K-POP)
대중가요	전통 음악	클래식	힙합	발라드
감동적이다	가슴이 찡하다	가슴이 따뜻해지다	공감하다	잔잔하다
조마조마하다	인상적이다	흥분되다	흥미진진하다	박진감 넘치다
연출이/연기가 뛰어나다	손에 땀을 쥐다	생생하다	지루하다	기대에 못 미치다
뻔하다				

대중문화	영화, 드라마	
	음악	
	공연	

영화, 드라마에 대한 감상	
좋아요 👍	
별로예요 👎	

2. 여러분은 최근에 어떤 영화나 드라마를 봤어요? 배운 어휘를 사용해서 최근에 본 영화나 드라마에 대해 쓰고 이야기해 보세요.

1) 여러분이 본 영화나 드라마의 제목은 뭐예요?

2) 그 영화나 드라마가 어땠어요?

3. 다음 표현을 듣고 따라 해 보세요. 01

1) • 어제 본 영화는 뻔해서 지루하더라고.
   • 어제 본 드라마는 감동적이라서 가슴이 찡해지더라고.

2) • 저는 액션 영화보다는 코미디 영화를 좋아하는 편이에요.
   • 저는 소설보다 시를 자주 읽는 편이에요.

3) • 클래식 음악을 좋아해서 시간이 날 때마다 음악회에 갑니다.
   • 영화 보는 것을 좋아해서 시간이 날 때마다 영화관에 갑니다.

새 어휘 💡

가슴이 따뜻해지다
공감하다
잔잔하다
흥분되다
지루하다

1. 다음 단어를 활용해서 문장을 완성해 보세요.

가다	마시다	먹다
읽다	없다	춥다
한국이다		

1) 나는 아침에 보통 우유를 마신**다** .

2) _____ .

3) _____ .

4) _____ .

2. 이 글을 '-는다/ㄴ다/다'를 사용해서 다음과 같이 바꾸어 써 보세요.

저는 여가 시간에 드라마 보는 것을 좋아합니다. 특히 사극을 좋아해서 자주 보는 편입니다. 사실 사극 드라마에 나오는 한국어는 조금 어렵습니다. 하지만 저는 한복이나 한국의 옛날 건물에 관심이 많습니다. 그래서 사극 드라마를 즐겨 봅니다. 지난 주말에는 한국 드라마 〈백일의 낭군님〉을 봤습니다. 이 드라마는 조선 시대 사람들이 주인공입니다. 남자 주인공은 조선의 왕자인데 어느 날 사고로 기억을 잃어버렸습니다. 그래서 자신이 왕자라는 것을 모르고 자신을 구해 준 사람들과 같이 살기 시작합니다. 드라마 내용도 흥미진진하고 한복이나 풍경도 정말 아름답습니다. 지난주에 드라마를 다 보지 못해서 이번 주말에도 볼 것입니다. 주인공이 기억을 찾으면 어떻게 될지 정말 궁금합니다. 빨리 주말이 와서 드라마를 보고 싶습니다.

나는 여가 시간에 드라마 보는 것을 좋아한다.

_____

_____

_____

_____

_____

_____ .

1. 다음 단어를 활용해서 문장을 완성해 보세요.

입다	보다	주다
받다	열다	닫다
말하다		

1) 〈괴물〉이 재미있어서 친구에게 보**라고 했어요** .
2) .
3) .
4) .

2. 다음의 안내문을 보고 체육관 시설을 이용하기 위해서는 어떻게 하라고 하는지 '-(으)라고 하다'를 사용해서 써 보세요.

> **체육관 이용 안내**
>
> 쾌적하고 안전하게 체육관을 사용하기 위해서 반드시 아래의 내용을 지켜 주시기 바랍니다.
> 1. 1층 안내 데스크에서 회원 카드를 보여 주고 이용하시기 바랍니다.
> 2. 실내용 운동화를 신으시기 바랍니다. 밖에서 사용하는 구두나 운동화는 체육관의 시설을 이용할 때 신으실 수 없습니다.
> 3. 운동 전에 반드시 준비 운동을 하시기 바랍니다.
> 4. 체육관 내에서는 술을 마시거나 담배를 피우면 안 됩니다. 음식물도 체육관 안에 가지고 들어올 수 없습니다.
> 5. 체육관 안의 시설을 이용하기 전에 시설 이용을 위한 안전 교육을 받아 주시기 바랍니다. 안전 교육은 1층 안내 데스크에 문의해 주십시오.
>
> - 창인시 체육관.

1) 회원 카드를 보여 주고 체육관을 이용하라고 한다.
2) .
3) .
4) .

3. 다음의 상황을 보고 '-(으)라고 하다'를 사용해서 이야기해 보세요.

1) 직장 동료 — 나

회의를 하러 간 직장 동료에게 전화가 왔습니다. 동료에게 전화한 사람이 뭐라고 했는지 이야기해 주세요.

> 전화한 사람: 한국무역 김민수인데 회의 끝나고 전화 좀 해 주세요.
>
> 동료: 혹시 제가 회의하러 갔을 때 전화 왔어요?
>
> 나: 네. _____
> _____ .

2) 친구 — 나

친구가 아파서 오늘 동아리 모임에 못 왔습니다. 친구에게 동아리 모임에서 선배가 무슨 이야기를 했는지 알려 주세요.

> 동아리 선배: 아플 땐 쉬는 게 더 중요해. 내일 모임도 나오지 말고 쉬어.
>
> 친구: 오늘 동아리 모임 못 가서 미안해. 내일 모임은 꼭 갈게.
>
> 나: 아니야. 많이 아프면 안 와도 돼. 선배가 _____
> _____ .

1. 안나 씨와 유진 씨가 영화에 대해 이야기해요. 다음을 잘 듣고 질문에 답하세요.

1) 유진 씨는 어떤 영화를 좋아해요?

2) 안나 씨는 어떤 영화를 좋아해요?

3) 안나 씨가 그런 영화를 좋아하는 이유는 뭐예요?

공포

로맨스

코미디

액션

2. 다음을 잘 듣고 질문에 답하세요.

1) 들은 내용과 같으면 ○, 다르면 ✕ 표시를 하세요.

① 이 공연에서는 유명한 클래식 음악도 들을 수 있어요. (   )

② 다음 달에 인기 아이돌의 콘서트가 열릴 예정이에요. (   )

③ 이 공연에서는 전통 악기를 사용한 연주를 들을 수 있어요. (   )

2) 다시 들으면서 중요한 내용을 메모해 보세요.

3) 여러분은 콘서트나 음악회에 가 본 적이 있어요? 어땠어요?

1. 다음 글을 읽고 질문에 답하세요.

〈샌프란시스코 화랑관〉은 미국 샌프란시스코에 있는 태권도장 '화랑관'에서 태권도를 배우는 사람들의 이야기이다. 주인공은 게임 회사에 다니는 '이가야'이다. 가야는 미국에 혼자 사는 한국 사람이다. 그런데 미국 생활이 너무 외로워서 향수병에 걸린다. 어느 날, 향수병 때문에 회사에 가지 않고 거리를 헤매다가 우연히 '화랑관'을 발견한다. 그리고 가야는 화랑관에서 태권도를 배우기 시작한다.

사실 이 웹툰에 특별한 이야기가 나오는 것은 아니다. 평범한 한국 여자가 미국에서 살면서 회사에 다니는 이야기, 태권도장에서 만나는 사람들 이야기, 태권도장에 사는 고양이 이야기처럼 평범한 일상이 그려진다. 하지만 나는 이 웹툰이 평범해서 좋다고 생각했다. 또 한국에서 외국인인 내가 살면서 느끼는 것과 주인공이 느끼는 것이 비슷하다는 생각을 한 적도 많다. 또 태권도장에 오는 여러 사람들의 다양한 이야기를 볼 수 있는 것도 좋았다.

이 웹툰을 보면서 나도 태권도를 한번 배워 보고 싶다고 생각했다. 태권도를 하면 나도 좀 더 용기 있는 사람이 될 수 있을 것 같다. 태권도는 나를 지키기 위한 운동이다. 하지만 태권도를 배워 보고 싶었던 가장 큰 이유는 새로운 것에 도전하기만 해도 용기를 얻을 수 있다는 것을 이 웹툰을 보고 알게 되었기 때문이다. 조금 더 용기를 내서 나도 근처에 있는 태권도장에 가 봐야겠다. 그리고 거기에서 더 많은 한국 사람들을 만나고 싶다.

1) 〈샌프란시스코 화랑관〉의 주인공은 누구예요? 그 사람은 어떤 사람이에요?

2) 이 글을 쓴 사람은 이 웹툰을 왜 좋아해요?

2. 여러분은 웹툰을 본 적이 있어요? 여러분이 좋아하는 웹툰을 소개해 주세요. 그리고 그 웹툰에 대한 감상을 이야기해 보세요.

새 어휘 💡

향수병
헤매다
발견하다
용기
도전하다

1. 여러분이 좋아하는 영화나 드라마, 책, 웹툰, 공연 중 한 가지를 선택해서 그 작품에 대한 감상문을 쓰기 위한 메모를 해 보세요.

좋아하는 작품	·
이 작품에 대한 정보 (장르, 나오는 사람, 감독 등)	· · ·
이 작품에 대한 감상	· ·

2. 메모를 보고 작품에 대한 감상을 써 보세요.

.

3. 쓴 내용을 발표해 보세요. 다른 사람이 소개한 작품 중에 관심이 가는 작품이 있으면 메모하면서 들어 보세요.

제가 좋아하는 작품은 ….

4. 다른 사람이 소개한 작품 중 가장 관심이 가는 작품은 뭐예요?

부록

듣기
지문
3A

01 🔊 그동안 어떻게 지냈니?

어휘와 표현 | 3번 | 6쪽

다음 표현을 듣고 따라 해 보세요.
1) • 일이 너무 많아서 정신없이 지냈어요.
   • 주말에 약속이 많아서 정신없이 보냈어요.
2) • 오랜만에 친구를 만나 이런저런 이야기를 나눴어요.
   • 방학 때 이런저런 일을 많이 했어요.
3) • 여기저기 다니면서 많은 것을 배웠어요.
   • 여행을 좋아해서 여기저기 많이 다녔어요.

듣기 | 1번 | 9쪽

개강하고 안나 씨와 유진 씨가 이야기해요. 다음을 잘 듣고 질문에 답하세요.
안나: 오랜만에 교실에 와서 수업도 듣고 친구들도 만나니까 정말 반가웠어.
유진: 안나, 우리 오랜만에 만났는데 다음 주쯤에 다 같이 밥 한번 먹는 건 어때?
안나: 좋아. 오랜만에 같이 만나서 밥도 먹고 이런저런 이야기도 하면 정말 재미있겠다.
유진: 맞아. 그럼 내가 다른 친구들에게도 연락할게. 많이 모이면 좋겠어.
안나: 선생님도 시간 되시는지 물어보자. 같이 드시면 좋아하실 것 같아.
유진: 좋은 생각이야. 선생님도 꼭 같이 가시면 좋겠어.

듣기 | 2번 | 9쪽

다음 대화를 잘 듣고 질문에 답하세요.
선생님: 여러분들과 같이 저녁을 먹으니 정말 좋네요. 어서 드세요.
학생들: 네. 잘 먹겠습니다! 선생님도 많이 드세요.
선생님: 유진은 지난 방학 때 여기저기 여행을 많이 다녔지? 어땠어?
유진: 네. 고향에도 다녀오고 여행을 좀 다녔는데 재미있었어요.
선생님: 부럽다. 나도 여행을 가고 싶었는데, 일이 많아서 정신이 너무 없었어.
유진: 그런데 선생님, 교실에서는 존댓말을 하셔서 좀 어렵게 생각했는데, 저한테 이렇게 반말을 하시니까 좀 더 가깝게 느껴져서 좋아요.

02 🔊 요즘 좀 바쁘다고 해

어휘와 표현 | 3번 | 12쪽

다음 표현을 듣고 따라 해 보세요.
1) • 올해는 꼭 운전면허를 따고 싶어요.
   • 이번 학기에는 꼭 장학금을 받고 싶어요.
2) • 다음 학기에는 휴학하고 한국에 어학연수를 다녀오려고 합니다.
   • 지금 하는 일을 그만두고 새로운 일자리를 찾으려고 합니다.
3) • 안녕하세요? 오늘부터 이 회사에서 근무하게 된 김민수입니다.
   • 반갑습니다. 이번 업무를 맡게 된 마리입니다.

듣기 | 1번 | 15쪽

재민 씨와 유진 씨가 오랜만에 만났어요. 다음을 잘 듣고 질문에 답하세요.
재민: 유진 씨, 오랜만이에요. 잘 지냈어요?
유진: 네. 재민 씨. 정말 오랜만이에요. 전 잘 지냈어요. 안나 씨는 아직 안 왔어요?
재민: 지금 오고 있다고 했어요. 그동안 어떻게 지냈어요?
유진: 방학이라서 고향에 잠깐 다녀왔어요. 오랜만에 가족들도 만나고, 친구들도 만나고 왔어요. 엄마가 만들어 주신 고향 음식도 많이 먹었고요.
재민: 정말 좋았겠어요. 저도 유진 씨의 고향에 꼭 여행을 가 보고 싶어요.
유진: 다음에 같이 가요. 재민 씨도 한국에 출장 다녀왔다고요? 고향에도 다녀왔어요?
재민: 아니요. 이번에는 일이 많아서 고향에는 못 갔어요. 다음 달에 또 출장을 가는데 그때는 갈 수 있을 것 같아요.

듣기 | 2번 | 15쪽

다음 라디오 방송을 잘 듣고 질문에 답하세요.
디제이: 다음은 부산에서 박정민 씨께서 보내 주신 사연입니다. "민혁아, 내가 중학교 때 다른 학교로 전학 가고 처음에는 자주 연락을 했는데 고등학생이 되면서 연락이 안 됐잖아. 그 후에 전화했는데 전화번호가 바뀌었더라고. 요즘 너하고 같이 즐겁게 지낸 시간이 많이 생각나. 이 소식 들으면 꼭 연락해 줘. 꼭 다시 만나고 싶어."라고 박정민

씨께서 중학교 때 친구인 이민혁 씨에게 편지를 쓰셨습니다. 저도 두 분이 꼭 다시 만났으면 좋겠네요. 민혁 씨, 이 사연 들으면 꼭 연락 주세요. 그럼, 박정민 씨가 신청한 노래 〈친구〉를 듣겠습니다.

03 🔊 이번에 이사를 할까 해요

어휘와 표현 | 3번 | 18쪽

다음 표현을 듣고 따라 해 보세요.
1) • 집 근처에 편의점이 있으면 좋겠어요.
   • 조용한 곳으로 이사를 가면 좋겠어요.
2) • 신학기라서 집을 구하는 일이 쉽지 않아요.
   • 방학이라서 아르바이트 자리가 많지 않아요.
3) • 집을 구하려고 부동산에 물어봤어요.
   • 이사를 하려고 이삿짐센터에 전화했어요.

듣기 | 1번 | 21쪽

주노 씨와 수지 씨가 이사에 대해 이야기하고 있어요. 다음을 잘 듣고 질문에 답하세요.

주노: 수지 씨, 이번 주말에 이사 가지요? 그 전에 도와줄 일 없어요?
수지: 그럼, 주노 씨도 이사 전날 우리 집에 와서 짐 싸는 걸 도와줄래요? 그날 마리도 오기로 했어요.
주노: 좋아요. 그런데 포장 이사 한다고 하지 않았어요?
수지: 그렇긴 한데 중요한 물건이나 개인적인 물건은 제가 직접 짐을 싸려고 해요.
주노: 그럼 포장 상자랑 끈이 필요하겠네요. 우리 집에 사 놓은 게 있는데 줄까요?
수지: 정말요? 안 그래도 오늘 사러 가려고 했는데 잘됐어요.
주노: 그럼 이사 전날에 포장 상자랑 끈을 가지고 집으로 갈게요.

듣기 | 2번 | 21쪽

다음을 잘 듣고 질문에 답하세요.

남자: 부동산을 이용하여 집을 구하는 사람들이 많습니다. 이때 주의해야 할 점이 있습니다. 우선 부동산 방문이 처음일 경우 집을 잘 아는 사람과 같이 가는 것이 좋습니다. 그리고 부동산에 가면 자신이 찾고 있는 집의 조건을 구체적으로 설명하는 것이 좋습니다. 그래야 내가 원하는 집을 소개 받을 수 있어서 시간을 아낄 수 있습니다. 또한 부동산도 여러 곳에 가 봐야 합니다. 그러면 많은 집들을 소개 받을 수 있어서 원하는 집을 찾기 쉬워집니다.

04 🔊 나는 거실 청소를 할 테니까 넌 주방 청소를 해 줘

어휘와 표현 | 3번 | 24쪽

다음 표현을 듣고 따라 해 보세요.
1) • 주말에 일어나면 빨래부터 합니다.
   • 집에 돌아오면 손부터 씻어야 합니다.
2) • 내가 청소기를 돌릴 테니까 바닥 좀 닦아 줘.
   • 제가 요리할 테니까 설거지 좀 부탁해요.
3) • 바닥을 청소할 때 빗자루와 쓰레받기가 필요해요.
   • 설거지 할 때 세제와 고무장갑이 필요해요.

듣기 | 1번 | 27쪽

유진 씨와 마리 씨가 좋아하는 집안일에 대해 이야기해요. 다음을 잘 듣고 질문에 답하세요.

유진: 마리, 저녁 맛있게 먹었어?
마리: 응. 그런데 설거지할 게 산더미네.
유진: 그러게. 언제 다 하지?
마리: 유진, 네가 맛있는 요리를 해 줬으니까 설거지는 내가 할게.
유진: 무슨 소리야. 손님한테 설거지를 부탁할 순 없지. 내가 이따가 하면 돼.
마리: 괜찮아. 나는 설거지하는 거 좋아해. 그릇을 깨끗이 씻고 나면 스트레스가 풀려.
유진: 그래? 나는 집안일 중 설거지가 제일 싫은데…. 사실 나는 집안일은 요리 빼고 다 별로야.

듣기 | 2번 | 27쪽

다음을 잘 듣고 질문에 답하세요.

여자: 여러분은 유통 기한이 지난 우유를 어떻게 하나요? 무조건 버리나요? 만약 그렇다면 앞으로는 버리지 마세요. 오래된 우유를 활용하는 방법이 있습니다. 우선 그릇에 우유를 담아 냉장고에 넣어 두면 음식 냄새를 쉽게 없앨 수 있습니다. 그리고 우유를 천에 묻혀 마루나 가구를 닦으면 먼지가 제거됩니다. 옷에 묻은 볼펜 자국을 없애고 싶을 때에도 우유를 이용하시면 됩니다. 칫솔을 우유에 담갔다가 옷에 묻은 얼룩을 문지르면 얼룩이 사라집니다. 이처럼 오래된 우유를 이용해 할 수 있는 일이 많으니 여러분도 해 보면 어떨까요?

05 🔊 환불하려면 영수증이 필요합니다

어휘와 표현 | 3번 | 30쪽

다음 표현을 듣고 따라 해 보세요.
1) • 주문한 것과 색깔이 달라서 교환했어요.
   • 얼룩이 있어서 다른 옷으로 바꿨어요.
2) • 영수증을 잃어버렸는데 환불할 수 있을까요?
   • 영수증을 안 가져왔는데 내일 드려도 될까요?

3) • 죄송하지만 영수증이 없으면 환불할 수 없습니다.
   • 죄송하지만 쿠폰은 기간이 지나면 사용할 수 없습니다.

듣기 1번 33쪽

안나 씨가 온라인 쇼핑몰에 제품을 문의해요. 다음을 잘 듣고 질문에 답하세요.

직원: 안녕하세요. 하나 쇼핑몰입니다. 무엇을 도와드릴까요?

안나: 얼마 전에 주문한 시계를 어제 받았어요. 그런데 제가 주문한 건 까만색인데 열어 보니까 하얀색 시계가 배송되었어요. 어떻게 해야 하나요?

직원: 불편을 드려 죄송합니다. 교환을 해 드리겠습니다. 먼저 성함을 말씀해 주시겠어요?

안나: 네. 제 이름은 안나고요. 7월 23일에 구입했어요.

직원: 확인되었습니다. 고객님, 까만색 시계로 바로 보내 드리겠습니다.

안나: 그럼 이 하얀색 시계는 어떻게 해야 하나요?

직원: 그 시계는 까만색 시계를 받으실 때 택배 기사님에게 다시 보내 주시면 됩니다.

듣기 2번 33쪽

다음 대화를 잘 듣고 질문에 답하세요.

유진: 안나, 시계 새로 샀어? 예쁘네.

안나: 응. 얼마 전에 인터넷에서 샀어. 그런데 내가 주문한 거하고 다른 색깔이 와서 바꿨어.

유진: 그래? 넌 인터넷으로 물건을 잘 사는구나. 난 인터넷 쇼핑은 한 번도 안 해 봤는데.

안나: 정말? 인터넷 쇼핑이 얼마나 편한데. 시간도 절약되는 것 같고, 여러 가지를 한 번에 볼 수 있잖아.

유진: 그런데 옷은 직접 입어 볼 수가 없잖아. 신발도 그렇고. 사이즈가 안 맞으면 교환이나 환불을 해야 하니까 더 불편할 것 같은데. 그래서 난 직접 가서 보고 사는 게 좋아.

안나: 나도 처음엔 사이즈가 안 맞아서 교환을 몇 번 했는데 자주 사 보니까 요즘은 사이즈 때문에 교환할 일이 없어. 다음에 내가 인터넷 쇼핑 잘하는 방법을 알려 줄게.

06 🔊 새로 사려다가 수리해서 쓰고 있어요

어휘와 표현 3번 36쪽

다음 표현을 듣고 따라 해 보세요.

1) • 에어컨에서 이상한 소리가 나고 시원한 바람이 안 나와요.
   • 휴대폰 화면 안 나오고 버튼이 안 눌러져요.
2) • 오늘 수리를 맡기면 언제 찾을 수 있을까요?
   • 노트북을 고치면 다시 쓸 수 있을까요?
3) • 화면이 안 움직이면 다시 껐다 켜 보세요.
   • 화면이 자꾸 꺼지면 버튼을 꾹 눌러 보세요.

듣기 1번 39쪽

진 씨가 서비스 센터에 갔어요. 다음을 잘 듣고 질문에 답하세요.

직원: 어서 오세요. 무엇을 도와 드릴까요?

진: 이 노트북 좀 봐 주세요. 화면이 안 나와서요. 그리고 소리도 안 와요.

직원: 제가 잠깐 보겠습니다. (잠시 후에) 고객님, 노트북을 떨어뜨린 적이 있으세요?

진: 네. 얼마 전에 가방에 넣다가 책상 위에 떨어뜨렸어요.

직원: 그러셨군요. 화면 전체를 수리해야 할 것 같습니다. 수리비는 15만 원이고, 수리는 3일 정도 걸립니다. 어떻게 하시겠어요?

진: 수리비가 많이 드네요. 그래도 급하게 써야 하니까 일단 수리해 주세요.

듣기 2번 39쪽

다음 대화를 잘 듣고 질문에 답하세요.

유진: 안나, 나 휴대폰 바꿨는데, 멋있지 않아? 이번에 새로 나온 건데 디자인이 너무 마음에 들어.

안나: 예쁘네. 근데 왜 바꿨어? 고장 났어?

유진: 응. 뛰어가다가 떨어뜨려서 액정이 깨졌거든.

안나: 그럼 수리를 하면 되잖아. 수리하면 더 쓸 수 있을 건데….

유진: 지난번에도 한 번 수리했는데 시간도 오래 걸리고, 새로 나온 게 예쁘기도 하고.

안나: 넌 물건을 참 자주 바꾸는 것 같아. 얼마 전에는 스피커도 새로 샀잖아. 전에 쓰던 스피커에 문제도 없었잖아.

유진: 아, 그 스피커? 그것도 고장 났어. 한쪽이 잘 안 나왔어.

안나: 난 물건을 바꾸는 게 더 귀찮은데…. 계속 쓰면 익숙해서 편하고, 자주 물건을 안 바꿔도 되니까 돈도 절약되고. 너도 이번엔 좀 오래 써 보는 게 어때?

07 🔊 여자 친구하고 만난 지 곧 3년이 돼

어휘와 표현 3번 42쪽

다음 표현을 듣고 따라 해 보세요.

1) • 어버이날에 부모님께 건강식품을 선물했어요.
   • 성년의 날에 20살이 된 친구에게 꽃을 선물했어요.
2) • 올해는 깜박하고 결혼기념일을 못 챙겼어요.
   • 너무 바빠서 어버이날 선물을 못 챙겼어요.
3) • 어린이날을 맞이해서 아이들과 여행을 가는 가족이 많습니다.
   • 세계 여성의 날을 맞이해서 여러 가지 기념행사가 열렸습니다

듣기 1번 45쪽

안나 씨와 유진 씨가 어떤 식당에 대해 이야기해요. 잘 듣고 질문에 답하세요.

안나: 유진, 저번에 이야기한 식당 다녀왔어? 나도 친구 생일 때 거기 갈까

하는데 어떤지 궁금해서.

유진: 아, 거기 진짜 좋았어. 홈페이지에서 본 사진처럼 식당 분위기도 좋고 음식도 맛있었어.

안나: 그래? 잘됐다. 사진을 보니까 거기에서 생일 파티 하면 좋을 것 같아서.

유진: 응. 나도 추천이야. 아, 그리고 기념일이라고 미리 말하고 예약하니까 케이크를 무료로 준비해 줬어.

안나: 어, 정말? 기념일에 가기에 딱 좋은 곳이네!

듣기 | 2번 | 45쪽

다음을 잘 듣고 질문에 답하세요.

여자: 내일은 어버이날인데요. 여러분은 부모님께 드릴 선물을 준비하셨나요? 어떤 선물을 드리면 좋을지 고민 중인 분들도 많을 것 같아요. 작년과 올해 모두 부모님께 드릴 선물 중 가장 인기 있는 것은 '용돈'이었다고 합니다. 또, 아버지와 어머니에게 드리는 선물이 각각 달랐는데요. 어머니 선물로는 화장품을 선택하는 경우가 많았고요. 아버지 선물로는 건강식품이 압도적인 1위를 차지했습니다.

08 🔊 한글날을 기념하기 위해서 여러 가지 행사를 한다고 해

어휘와 표현 | 3번 | 48쪽

다음 표현을 듣고 따라 해 보세요.

1) • 한글날에 한국어 말하기 대회가 열렸습니다.
   • 추석에 한국 음식 만들기 대회가 열렸습니다.
2) • 말하기 실력을 확인해 보려고 말하기 대회에 참가했습니다.
   • 특별한 경험을 해 보고 싶어서 문화 행사에 참가했습니다.
3) • 말하기 대회에 나가서 최우수상을 받았어요.
   • 문화 행사에 참가해서 기념품을 받았어요.

듣기 | 1번 | 51쪽

오늘은 한글날을 기념하기 위한 행사를 하는 날이에요. 다음을 잘 듣고 질문에 답하세요.

유진: 안녕하세요? 한글 편지 쓰기 대회에 참가하기 위해서 왔는데요.
접수: 네. 성함이 어떻게 되세요?
유진: 유진입니다.
접수: 네. 접수 확인되었습니다. 여기 참가 번호표 먼저 받으시고요. 번호표는 잘 보이는 곳에 붙여 주세요. 그리고 이건 기념품입니다.
유진: 감사합니다. 어디에 앉으면 돼요?
접수: 들어가셔서 참가 번호랑 같은 번호가 쓰여 있는 자리에 앉으면 돼요. 대회는 2시에 시작하는데, 편지 쓸 종이는 그때 줄 거예요.

듣기 | 2번 | 51쪽

다음을 잘 듣고 질문에 답하세요.

남자: 여러분, 혹시 세종대왕상이라는 이름의 상을 아십니까? 이 상은 유네스코에서 문맹을 줄이기 위해서 노력한 사람이나 단체에게 주는 상입니다. 문맹이란 자기 나라의 글자로 된 글을 읽거나 쓸 수 없는 사람을 말합니다. 이 상의 이름에 세종이라는 이름을 붙인 것은 세종 대왕이 사람들을 위해서 누구나 배우기 쉬운 한글을 만들었기 때문입니다.

09 🔊 비가 오면 오히려 기분이 좋아지는데요

어휘와 표현 | 3번 | 54쪽

다음 표현을 듣고 따라 해 보세요.

1) • 제 동생은 더위에 약해서 여름을 안 좋아해요.
   • 저는 추위에 약해서 겨울에 자주 감기에 걸립니다.
2) • 장마가 끝나면 무더위가 시작되겠습니다.
   • 주말이 지나면 푹푹 찌기 시작할 거 같아.
3) • 신경이 날카로울 때 음악을 들으면 편안해져.
   • 외로울 때 친구와 맛있는 음식을 먹으면 괜찮아져.

듣기 | 1번 | 57쪽

재민 씨와 마리 씨가 날씨와 기분에 대해 이야기해요. 다음을 잘 듣고 질문에 답하세요.

재민: 마리 씨, 기분이 좀 나아졌어요?
마리: 훨씬 좋아졌어요. 빗소리를 들으며 걷는 기분도 괜찮네요.
재민: 그렇지요? 날씨가 안 좋다고 집에만 있으면 오히려 더 우울해질 수 있어요.
마리: 그런 거 같아요. 날이 안 좋으면 아무것도 하기 싫어지는 게 문제예요.
재민: 너무 거창한 일을 하려고 하면 스트레스 받을 거예요. 그냥 오늘처럼 잠시 걷거나 문밖에 나가서 신선한 공기를 마셔 보기만 해도 충분해요.
마리: 그렇겠죠? 재민 씨, 오늘 같이 산책해 줘서 고마워요. 다음부터는 집에만 있지 않으려고 노력해야겠어요.

듣기 | 2번 | 57쪽

다음을 잘 듣고 질문에 답하세요.

남자: 햇빛은 우울증 예방에 도움이 됩니다. 그러나 지나친 햇빛은 오히려 우리 몸에 해를 끼치기도 합니다. 그래서 햇빛을 적절하게 잘 받는 게 중요합니다. 외출할 때에는 얼굴에 자외선 차단제를 신경 써서 바르고, 차단제를 바르지 않은 우리 몸의 일부를 하루 30분에서 1시간씩 햇빛에 노출하는 것이 좋습니다. 자외선 차단제는 시간이 지나면서 없어지거나 물과 땀에 씻기기 때문에 서너 시간마다 덧바르고, 하루 중 햇빛이 가장 강한 오전 11시부터 오후 3시 사이에는 야외 활동을 피하는 것이 좋습니다.

10 🔊 오늘은 일찍 들어가도록 하세요

어휘와 표현 | 3번 | 60쪽

다음 표현을 듣고 따라 해 보세요.
1) • 감기에 걸리면 따뜻한 물을 자주 마셔요.
   • 잠이 안 오면 우유를 데워 드세요.
2) • 눈이 충혈되면 눈을 손으로 만지지 않는 게 좋아요.
   • 상처가 생기면 상처 부위에 물이 닿지 않도록 하는 게 좋아요.
3) • 다리를 삐어서 냉찜질을 했어.
   • 목이 아파서 마스크를 썼어요.

듣기 | 1번 | 63쪽

의사와 환자의 대화예요. 다음을 잘 듣고 질문에 답하세요.
의사: 어떻게 오셨어요?
환자: 이틀 전에 계단을 내려가다가 미끄러져서 발목을 다쳤어요.
의사: 어디 좀 봅시다. (…) 발목이 많이 부었네요. 언제부터 아팠어요?
환자: 처음에는 괜찮았는데 어젯밤부터 갑자기 심하게 아프기 시작했어요. 찜질도 해 봤는데 소용없었어요.
의사: 우선 간호사를 따라가서 엑스레이부터 찍으세요. 그리고 다시 이야기합시다.

듣기 | 2번 | 63쪽

다음을 잘 듣고 질문에 답하세요.
여자: 많은 사람들은 통증이 있을 때 찜질을 합니다. 이러한 찜질에는 냉찜질과 온찜질 두 가지 방법이 있습니다. 그런데 증상에 따라 효과적인 찜질 방법이 다릅니다. 예를 들어 다리를 삐어서 열이 나고 부었을 때에는 냉찜질이 도움이 됩니다. 차가운 찜질이 혈관을 축소시켜 열을 내리고 붓기를 완화시키기 때문입니다. 그러나 다친 부위가 붓거나 열이 나지 않고 뻣뻣하게 굳어 아프면 온찜질을 해야 합니다. 그렇게 해야 다친 부위를 부드럽게 풀어 줄 수 있습니다. 벌레에 물렸을 때나 이를 뺐을 때 열이 나고 부어오르면 냉찜질을 해서 증상을 완화시키고, 목이 뻣뻣하거나 눈이 피로할 때에는 온찜질을 하면 됩니다.

11 🔊 주말에는 집에서 쉬는 게 좋더라고요

어휘와 표현 | 3번 | 66쪽

다음 표현을 듣고 따라 해 보세요.
1) • 집에서 드라마나 영화 보는 걸 좋아해요.
   • 경기장에 가서 스포츠 경기 보는 걸 좋아해요.
2) • 한국 사람들에게 인기 있는 여가 활동 중 하나는 등산입니다.
   • 젊은 사람들에게 인기 있는 여가 활동 중 하나는 에스엔에스(SNS) 활동입니다.
3) • 요즘은 여가 시간을 자기 계발을 위해서 쓰는 사람들도 많습니다.

• 여가 시간에 특별한 활동을 하지 않고 쉬면서 보내는 사람들도 있습니다.

듣기 | 1번 | 69쪽

마리 씨가 문의 전화를 해요. 다음을 잘 듣고 질문에 답하세요.
마리: 여보세요?
강사: 네. 김지수 피아노 학원입니다.
마리: 안녕하세요? 피아노 수업에 대해서 여쭤보려고 전화했는데요.
강사: 네. 안녕하세요? 어떤 게 궁금하세요?
마리: 제가 취미로 피아노를 배우려고 하는데요. 평일 저녁에도 수업이 있어요?
강사: 네. 화요일하고 목요일 저녁에 수업이 있어요.
마리: 아, 그렇군요. 그런데 클래식 음악은 아니고 케이팝(K-POP)을 피아노로 치는 것도 배울 수 있어요?
강사: 그럼요. 요즘은 좋아하는 노래를 피아노로 치는 걸 배우려고 오는 분이 많아요.

듣기 | 2번 | 69쪽

다음을 잘 듣고 질문에 답하세요.
여자: 저는 집에서 여가 시간 보내는 걸 좋아하는 집순이인데요. 요즘 제가 푹 빠진 여가 활동을 소개하려고요. 혹시 홈카페라고 들어 보셨어요? 집에서 멋진 카페에 간 것처럼 음료와 먹을 것을 준비해서 즐기는 건데요. 예쁜 잔에 커피를 따르고, 접시에 빵이나 케이크도 보기 좋게 담아서 정말 카페에서 주문한 것처럼 준비를 합니다. 이렇게 하면 준비할 것이 많아서 조금 힘들어요. 하지만 하다 보면 시간도 잘 가고 완성된 음식을 보면 기분도 정말 좋더라고요. 여러분도 이번 주말에는 홈카페 한번 즐겨 보세요!

12 🔊 이 영화를 꼭 보라고 추천하고 싶다

어휘와 표현 | 3번 | 72쪽

다음 표현을 듣고 따라 해 보세요.
1) • 어제 본 영화는 뻔해서 지루하더라고.
   • 어제 본 드라마는 감동적이라서 가슴이 찡해지더라고.
2) • 저는 액션 영화보다는 코미디 영화를 좋아하는 편이에요.
   • 저는 소설보다 시를 자주 읽는 편이에요.
3) • 클래식 음악을 좋아해서 시간이 날 때마다 음악회에 갑니다.
   • 영화 보는 것을 좋아해서 시간이 날 때마다 영화관에 갑니다.

듣기 | 1번 | 75쪽

안나 씨와 유진 씨가 영화에 대해 이야기해요. 다음을 잘 듣고 질문에 답하세요.
안나: 유진, 요즘 뭐 재미있는 영화 없을까?
유진: 지난주에 본 영화 되게 재미있었는데. 혹시 공포 영화 좋아해?

안나: 공포 영화? 아니. 나 공포 영화 못 봐.

유진: 별로 무섭지 않고 흥미진진했는데. 그럼 안나 넌 어떤 영화 좋아하는데?

안나: 난 코미디. 영화 보면서 웃다 보면 스트레스가 싹 풀리는 그런 영화 좋아해.

유진: 너랑 나랑은 영화 취향이 너무 다르다. 난 코미디보다는 역시 공포나 액션 영화가 좋던데.

안나: 난 그런 영화는 보면서 긴장해서 오히려 스트레스 받는 기분이 들더라고.

듣기 | 2번 | 75쪽

다음을 잘 듣고 질문에 답하세요.

남자: 새 공연 소식입니다. 다음 달 5일부터 창인문화회관에서 밴드 한소리의 콘서트가 열립니다. 한소리는 한국 전통 음악인 판소리를 전통 악기가 아닌 드럼, 키보드, 기타 등 밴드 악기로 연주하는 팀인데요. 이번 공연에서는 한소리의 노래뿐만 아니라 인기 아이돌 유새이의 노래, 유명한 클래식 음악 등도 한소리만의 색깔로 연주한다고 합니다. 전통과 현대가 함께하는 색다른 공연을 즐기실 수 있을 것 같습니다.

모범 답안 ──── 3A

| 문법 1 | 3번 | 7쪽 |

[예시]

1) 응. 발표 자료 정리를 같이 하자

2) 생각보다 시간이 많이 지났네. 이제 집에 가자

| 문법 2 | 1번 | 8쪽 |

[예시]

2) 사진보다 키가 커 보여요

3) 주노 씨 기분이 좋아 보여요

4) 드라마가 재미있어 보이네

| 문법 2 | 2번 | 8쪽 |

[예시]

2) 맛있어 보여

3) 재미있어 보여

4) 어두워 보여

5) 힘들어 보여

| 문법 2 | 3번 | 8쪽 |

[예시]

1) 사이즈가 좀 작아 보여

2) 불고기가 맛있어 보여

| 듣기 | 1번 | 9쪽 |

1) ① ○　　② ○　　③ ×　　④ ×

2) 같은 반 친구들과 밥을 먹자는 이야기를 하고 있어요.

3) 같은 반 친구들하고 선생님과 밥을 먹으려고 해요.

| 듣기 | 2번 | 9쪽 |

1) 방학에 한 일을 이야기해요.

2) 고향에 다녀오고 여행을 했어요.

3) 더 가깝게 느껴져서 좋다고 생각해요.

| 읽고 말하기 | 1번 | 10쪽 |

1) 나보다 나이가 많으면 존댓말을 쓰고, 나이가 어리면 반말을 해요.

2) ① ×　　② ×

---

01 ✏️ 그동안 어떻게 지냈니?

| 어휘와 표현 | 1번 | 6쪽 |

만났을 때	오랜만이야, 웬일이야, 이게 얼마 만이야
근황/안부	한가하게 지내다, 그저 그렇게 지내다, 이곳저곳 다니다, 이런저런 이야기를 하다, 정신없이 지내다, 특별한 일 없이 지내다, 여기저기 다니다
헤어질 때	다음에 또 보자, 다음에 밥 한 끼 하자

| 문법 1 | 1번 | 7쪽 |

[예시]

2) 맛있는 걸 먹자

3) 무슨 음악을 듣니?

4) 요즘도 아침마다 운동하니?

| 문법 1 | 2번 | 7쪽 |

[예시]

2) 방학 동안 어떻게 지냈니

3) 물어보고 싶은 게 있는데, 자니

4) 그럼 우리 다른 데서 공부하자

02  요즘 좀 바쁘다고 해

어휘와 표현 | 1번 | 12쪽

10대~20대에 하는 일	입학을 하다, 졸업을 하다, 장학금을 받다, 직장을 옮기다, 운전면허를 따다, 합격하다, 직장인이 되다
30대~40대에 하는 일	운전면허를 따다, 일자리를 구하다/찾다, 청혼을 하다/받다, 회사에서 근무하다, 일을/업무를 맡다, 승진하다, 직장인이 되다, 직장을 옮기다
50대 이후에 하는 일	자녀가 결혼하다, 회사에서 근무하다, 일을/업무를 맡다, 승진하다, 일을 그만두다

문법 1 | 1번 | 13쪽

[예시]
2) 동생이 직접 만들었다고 해요
3) 공연이 재미있다고 해요
4) 아빠한테 옷이 작다고 해요

문법 1 | 2번 | 13쪽

2) 제주도는 비가 온다고 해요
3) 10월 17일에 김밥을 만든다고 해요
4) 화재가 발생했는데 다친 사람은 없다고 해요

문법 1 | 3번 | 13쪽

[예시]
1) 과제는 금요일까지 내야 한다고 해요
2) 콘서트를 한다고 해

문법 2 | 1번 | 14쪽

[예시]
2) 가족이 여행을 가나 봐요
3) 진 씨는 학교 근처에 사나 봐요
4) 선아 씨가 춥나 봐요

문법 2 | 2번 | 14쪽

2) 안 좋은 일이 있나 봐요
3) 차가 많이 막혔나 봐요
4) 감기에 걸렸나 봐요

문법 2 | 3번 | 14쪽

[예시]
1) 일이 많아서 늦게 출발했나 봐
2) 몸이 좀 안 좋은가 봐요

듣기 | 1번 | 15쪽

1) ① ○ ② ○ ③ × ④ ×
2) 일이 많아서 고향에 가지 못했어요.
3) 고향에 다녀왔어요.

듣기 | 2번 | 15쪽

1) 중학교 친구예요.
2) 전학을 가고 고등학생이 되면서 연락이 안 되었어요.
3) 이민혁 씨를 만나고 싶기 때문이에요.

읽고 말하기 | 1번 | 16쪽

1) 대만에 있어요.
2) ① ○ ② × ③ ○ ④ ×

03  이번에 이사를 할까 해요

어휘와 표현 | 1번 | 18쪽

집세	월세, 전세, 계약금, 보증금
이삿짐	싸다, 풀다, 나르다, 정리하다
부동산	계약금, 공인중개사, 계약하다, 집을 구하다

문법 1 | 1번 | 19쪽

[예시]
2) 공원을 걸을까 해요
3) 물을 한 잔 마실까 해요
4) 방학 때 고향에 갈까 해요

문법 1 | 2번 | 19쪽

2) 여행을 할까 해요
3) 마리 씨 생일 파티에 갈까 해요
4) 영화를 볼까 해요
5) 발표 준비를 할까 해요
6) 모임을 할까 해요

문법 1 | 3번 | 19쪽

[예시]
1) 휴가를 갈까 해요
2) 고향에 다녀올까 해

문법 2 | 1번 | 20쪽

2) 회사에서 멀지만 않으면
3) 지은 지 오래되지만 않으면

4) 월세가 비싸지만 않으면
5) 교통이 불편하지만 않으면

2) 모든 일에 부정적인 사람만 아니면
3) 다른 사람 이야기를 안 듣는 사람만 아니면
4) 게으른 사람만 아니면
5) 다른 사람 험담을 자주 하는 사람이 아니면

[예시]
1) 저는 방에서 담배를 피우지만 않으면 괜찮아요
2) 모든 일에 부정적이지만 않으면 괜찮아

1) 이번 주말에 이사를 해요.
2) 주노 씨와 마리 씨가 도와줄 거예요.
3) 중요한 물건과 개인적인 물건이에요.
4) 포장 상자와 끈을 가지고 갈 거예요.

1) ① ○ ② ○ ③ ×

1) 이사를 하면 가족이나 친구들을 초대해서 파티를 하는 거예요.
2) 보통 휴지나 세제를 준비해 가요.
3) 휴지는 모든 일이 잘 풀리라는 의미가 있고, 세제는 돈이 많이 생겨서 부자가 되라는 의미가 있어요.

1) 집세가 부담스러워서 이사를 하고 싶어 해요.
2) 직장과 멀어서 이사를 하고 싶어 해요.

04 🖊 나는 거실 청소를 할 테니까 넌 주방 청소를 해 줘

설거지할 때	고무장갑, 수세미, 주방 세제, 고무장갑을 끼다
청소할 때	청소기, 빗자루, 쓰레받기, 바닥을 쓸다, 쓰레기를 버리다, 바닥을 닦다, 쓰레기통을 비우다, 걸레, 대걸레, 걸레질을 하다
세탁할 때	세탁기, 고무장갑, 손빨래를 하다, 세탁 세제, 개다, 고무장갑을 끼다, 빨래를 널다

[예시]
핸드폰을 보고 나서 샤워를 해요. 샤워를 하고 나서 밥을 먹어요. 밥을 먹고 나서 학교에 가요. 학교에서 수업을 듣고 나서 친구를 만나요. 친구를 만나고 나서 운동을 해요.

[예시]
1) 세종학당에서 공부하고 나서 집에서 복습하는 거야
2) 영화 보고 나서 저녁도 먹자

[예시]
2) 제가 책을 빌려줄 테니까
3) 제가 요리할 테니까
4) 내가 음식을 준비할 테니까 네가 음료수를 사 올래

[예시]
내가 치킨을 사 올 테니까 네가 김밥을 사 올래

[예시]
2) 닭갈비가 매울 테니까 밥하고 같이 먹어요
3) 다음 주에 시험이 있을 테니까 같이 공부해요
4) 주말에 눈이 올 테니까 옷을 따뜻하게 입어요

[예시]
1) 이제부터 약속 시간을 잘 지킬 테니까 기분 풀어
2) 매일 웃게 해 줄 테니까 우리 결혼하자

1) ① ○   ② ×   ③ ○
2) 요리예요.

1) • 마루나 가구의 먼지를 쉽게 제거할 수 있어요
   • 옷에 묻은 볼펜 자국을 없앨 수 있어요

읽고 말하기 | 1번 | 28쪽

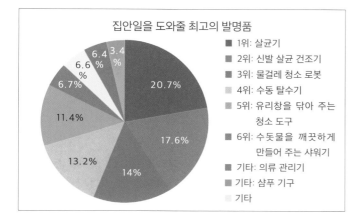

집안일을 도와줄 최고의 발명품

- 1위: 살균기
- 2위: 신발 살균 건조기
- 3위: 물걸레 청소 로봇
- 4위: 수동 탈수기
- 5위: 유리창을 닦아 주는 청소 도구
- 6위: 수돗물을 깨끗하게 만들어 주는 샤워기
- 기타: 의류 관리기
- 기타: 샴푸 기구
- 기타

05 ✏️ 환불하려면 영수증이 필요합니다

어휘와 표현 | 1번 | 30쪽

물건을 구입할 때	카드로 계산하다, 현금으로 계산하다, 구입하다, 결제하다
교환을/환불을 할 수 있는 경우	(지퍼가) 망가지다, 사이즈가 안 맞다, 얼룩이 있다, (끈이/장식이) 떨어지다, 영수증이 있다
교환을/환불을 할 수 없는 경우	안 어울리다, 더러워지다, 기간이 지나다, 세일 상품

문법 1 | 1번 | 31쪽

[예시]

2) 진영 씨를 만나 보니까
3) 국악 공연에 가 보니까
4) 바지를 입어 보니까

문법 1 | 2번 | 31쪽

2) 요리를 해 보니까 쉬웠어요
3) 컴퓨터로 만들어 보니까 빨리 끝났어요
4) 수업을 들어 보니까 한국어가 어렵지 않았어요

문법 1 | 3번 | 31쪽

[예시]

1) 서울에 가 보니까 높은 건물이 많았어
2) 회사에서 일해 보니까 생각보다 많이 힘들어

문법 2 | 1번 | 32쪽

[예시]

2) 멋진 가방을 사려면

3) 서류를 신청하려면
4) 음악을 크게 들으려면

문법 2 | 2번 | 32쪽

[예시]

1) 책을 빌리려면 신분증이 필요해요./책을 반납하려면 반납함에 책을 넣어 주세요.
2) 국제선 비행기를 타려면 여권이 필요해요./가방의 무게를 확인하려면 7번 출구 앞으로 가세요./공항 철도를 타려면 지하로 내려가세요.

문법 2 | 3번 | 32쪽

[예시]

1) 풍경 사진을 찍으려면 학교 뒤에 있는 산에 올라가서 찍어 봐
2) 노트북을 새로 사려면 전자 제품을 파는 가게가 많이 모여 있는 곳에 가서 사는 게 좋아

듣기 | 1번 | 33쪽

1) 주문한 물건에 문제가 있어서 전화를 했어요.
2) 주문한 시계는 까만색인데 받은 시계는 하얀색이에요.
3) 원래 주문한 까만색 시계를 받을 때 택배 기사님에게 다시 보내 주면 돼요.

듣기 | 2번 | 33쪽

1) ① ✕   ② ○   ③ ✕   ④ ✕
2) 직접 입어 볼 수가 없고 사이즈가 안 맞으면 교환이나 환불을 해야 해서 더 불편하다고 생각해요.

읽고 말하기 | 1번 | 34쪽

1) ① ○   ② ✕   ③ ○

06 ✏️ 새로 사려다가 수리해서 쓰고 있어요

어휘와 표현 | 1번 | 36쪽

휴대폰	화면이 안 나오다, 전원이 안 켜지다, 이상한 소리가 나다, 소리가 안 나오다, 액정이 깨지다, 인터넷 연결이 안 되다, 전원을 켜다/끄다, 화면이 꺼지다, 배터리가 나가다
에어컨	플러그를 꽂다/빼다, 전원이 안 켜지다, 이상한 소리가 나다, 바람이 안 나오다, 리모컨이 고장 나다
리모컨	버튼을 누르다, 버튼이 안 눌러지다, 배터리가 나가다, 리모컨이 고장 나다

문법 1 | 1번 | 37쪽

[예시]

2) 한글날이잖아요

3) 다음 주부터 방학이잖아요

문법 1 | 2번 | 37쪽

1) 한국어능력시험이 있잖아요

2) 학교 서점이 휴가잖아요

3) 네. 내일이 공연이잖아요

문법 1 | 3번 | 37쪽

[예시]

1) 오늘 안나 생일이잖아

2) 다음 주에 결혼하잖아요

문법 2 | 1번 | 38쪽

[예시]

2) 친척 집에 살려다가

3) 방을 청소하려다가

4) 치마를 입으려다가

문법 2 | 2번 | 38쪽

[예시]

1) 운동을 하려다가

2) 예쁜 코트를 사려다가

3) 학교 도서관에 가려다가

4) 머리를 기르려다가

문법 2 | 3번 | 38쪽

[예시]

1) 등산을 가려다가 요즘 다른 운동을 하고 있어

2) 옷에 얼룩이 있는데 교환하지 않으려다가 바꾸는 것이 좋을 것 같아서
요

듣기 | 1번 | 39쪽

1) 노트북이 고장 나서

2) ① ×   ② ○   ③ ○

3) 수리를 하기로 했어요.

듣기 | 2번 | 39쪽

1) ① ○   ② ○   ③ ×

2) ① 유진 ② 안나

읽고 말하기 | 1번 | 40쪽

1) 품질 보증서

2) ① ×   ② ×   ③ ×   ④ ○

07 ✏️ 여자 친구하고 만난 지 곧 3년이 돼

어휘와 표현 | 1번 | 42쪽

밸런타인데이	기념일을 맞이하다, 기념일을 챙기다, 외식을 하다, 이벤트를 준비하다, 마음을 표현하다 / 전하다
어린이날	기념행사를 하다, 기념식이 열리다, 외식을 하다, 마음을 표현하다 / 전하다

문법 1 | 1번 | 43쪽

[예시]

2) 여기에서 일한 지 한 달이 됐어요

3) 요가를 시작한 지 일 년이 됐어요

4) 밥을 먹은 지 얼마 안 됐어요

문법 1 | 2번 | 43쪽

[예시]

2) ○, 자전거를 탄 지 이틀 됐어요 /
　 ×, 자전거를 안 탄 지 한 달 정도 됐어요

3) ○, 여행을 간 지 한 달 정도 됐어요 /
　 ×, 여행을 안 간 지 일 년이나 됐어요

4) ○, 책을 읽은 지 하루 정도 됐어요 /
　 ×, 책을 안 읽은 지 한 달이나 됐어요

문법 1 | 3번 | 43쪽

[예시]

1) 책을 빌린 지 한 달이 되었는데 아직 반납이 안 되었습니다

2) 새로 산 지 이제 일주일이 되었어

문법 2 | 1번 | 44쪽

2) 회의는 2시간 후에 하자고 했어요

3) 다음 주에 같이 한국 음식을 만들자고 했어요

4) 일 끝나고 같이 밥 먹자고 했어요

문법 2 | 2번 | 44쪽

회의는 짧게 하자고 했습니다. 그리고 하고 싶은 이야기를 짧게 정리해서
오라고 했습니다

1) 같이 여행을 가자고 하셨어
2) 같이 유새이 콘서트 보러 가자고 했어

1) 식당 분위기도 좋고 음식도 맛있었어요.
2) 친구 생일 때 가려고 해요.
3) 케이크를 무료로 준비해 줘요.

1) ① ×   ② ×   ③ ○

1) ① 플라스틱 없는 하루   ② 우리가 할 수 있는 일
2) ① ○   ② ×

08 ✏️ 한글날을 기념하기 위해서 여러 가지 행사를 한다고 해

대회	대회에 참가하다
	대회가 열리다
본선	본선에 올라가다
	본선에 진출하다
	본선에서 탈락하다 / 떨어지다
상	상을 타다
	상을 받다

[예시]
2) 환경을 보호하기 위해서 쓰레기를 줄여야 해요
3) 이사하기 위해서 짐을 싸야 해
4) 대회에 참가하기 위해서 신청서를 써야 합니다

[예시]
2) 행복을 위해서 항상 좋은 생각을 하고 있어요
3) 건강을 위해서 매일 아침 운동을 해요
4) 나를 위해서 맛있는 걸 먹어요.

[예시]
1) 생일을 축하하기 위해서 파티를 하자
2) 좋은 회사에 취직하기 위해서 외국어 공부를 하는 것이 좋아

[예시]
2) 추우니까 코트를 입어야겠어요
3) 잘 안 보이니까 크게 써야겠다
4) 손님이 오니까 청소해야겠어요

[예시]
1) 저도 한국어 공부를 열심히 해야겠어요
2) 주말에 한번 가봐야겠어요
    친구들에게 같이 가자고 말해야겠어요
3) 저도 테니스를 배워야겠어요
    저도 취미로 운동을 해 봐야겠어요

[예시]
1) 다른 수업을 들어야겠어요
2) 수리 기사를 불러야겠어요

1) 한글 편지 쓰기 대회 참가 신청을 하고 있어요.
2) 대회 신청 접수를 받는 사람이에요.
3) 2시에 시작해요.

1) ① ○   ② ×   ③ ○

1) 사람이 되고 싶었어요. 곰은 동굴 속에서 100일 동안 마늘과 쑥을 먹었어요. 호랑이는 동굴 밖으로 도망갔어요.
2) 곰이 여자로 변해서 낳은 아들이에요. 한반도에 처음으로 나라를 세운 사람이에요.
3) 단군왕검이 한반도에 나라를 세운 이야기예요.

09 ✏️ 비가 오면 오히려 기분이 좋아지는데요

어휘와 표현 | 1번 | 54쪽

한여름	무더위, 열대야, 푹푹 찌다, 소나기, 장마, 태풍
한겨울	한파, 폭설

문법 1 | 1번 | 55쪽

[예시]

2) 이제는 좋아졌어요

3) 밖이 어두워졌으니까

4) 휴지로 닦으니까 깨끗해져요

문법 1 | 2번 | 55쪽

[예시]

2) 산과 나무가 없어졌어요

3) 건물이 많아졌어요

문법 1 | 3번 | 55쪽

[예시]

1) 한국어 발음이 정말 좋아졌구나

2) 따뜻해진다고 했어

문법 2 | 1번 | 56쪽

[예시]

2) 만드는 대신에 사는 게 어때?

3) 음료가 비싼 대신에 맛있어

4) 고향에 가는 대신에 집에 있기로 했어요

문법 2 | 2번 | 56쪽

[예시]

1) 결혼하는 대신에 하고 싶은 일을 맘껏 하며 살고 싶어요

2) 여행 가는 대신에 집에서 쉬기로 했어요

3) 대학교에 가는 대신에 취직을 하기로 했어요

문법 2 | 3번 | 56쪽

[예시]

1) 취업을 하는 대신에 대학원에 갈 거예요

2) 멀리 가는 대신에 여기 근처에 가도 좋은 곳이 많을 거야

듣기 | 1번 | 57쪽

1) 비가 와요.

2) 산책을 해요.

3) 기분이 안 좋았는데 기분이 좋아졌어요.

듣기 | 2번 | 56쪽

1) ① ○　　　　② ○　　　　③ ×

읽고 말하기 | 1번 | 58쪽

1) 우울할 때: 초콜릿

　　집중이 안 될 때: 박하 차, 박하사탕

　　피곤할 때: 레몬, 오렌지

　　화가 났을 때: 사과

10 ✏️ 오늘은 일찍 들어가도록 하세요

어휘와 표현 | 1번 | 60쪽

1) 나다 - 기침, 배탈, 콧물, 상처

2) 생기다 - 상처, 충치, 눈병

3) 눈, 목, 얼굴, 손목 - 붓다

4) 발목, 허리, 손가락, 다리 - 삐다

문법 1 | 1번 | 61쪽

[예시]

2) 집에 가서 쉬도록 하세요

3) 사진을 준비하도록 하세요

4) 밥을 먹고 약을 먹도록 하세요

문법 1 | 2번 | 61쪽

[예시]

1) 밥을 잘 먹도록 하세요. / 찬 음식을 먹지 않도록 하세요.

2) 가벼운 운동을 하도록 하세요. / 잠자기 전에 스마트폰을 보지 않도록 하세요.

3) 영수증을 모아보도록 하세요. / 외식을 줄여 보도록 하세요.

문법 1 | 3번 | 61쪽

[예시]

1) 위험하니까 내일부터는 일찍 좀 다니도록 해

2) 마음을 편하게 가져 보도록 해

문법 2 | 1번 | 62쪽

[예시]

2) 여권을 만들어야

3) 열심히 공부해야 장학금을 받을 수 있어요

4) 푹 쉬어야 힘을 낼 수 있어요

[예시]

2) 많이 웃어야 건강한 생활을 할 수 있어요

3) 물을 많이 마셔야 건강한 생활을 할 수 있어요

4) 스트레스를 줄여야 건강한 생활을 할 수 있어요

[예시]

1) 매일 발음 연습을 해야 한국어 발음이 좋아질 거야.

2) 누나한테 먼저 사과해야 누나 기분이 풀릴 거야.

1) 이틀 전에 다쳤어요.

2) 발목을 다쳤어요.

3) 계단에서 미끄러졌어요.

4) 엑스레이를 찍을 거예요.

1) ① ×   ② ○   ③ ○

1) 밥이 우리 몸을 보호하고 건강하게 만들어 주기 때문에 밥을 먹으면 약을 먹는 것과 같다는 뜻이에요.

11 ✎ 주말에는 집에서 쉬는 게 좋더라고요

여가 활동의 종류	여가 활동을 하는 이유
1) 영화 감상	스트레스가 풀리다, 기분 전환이 되다, 문화 생활을 즐기다
2) 에스엔에스(SNS)	새로운 사람을 만나다, 정보를 얻다
3) 운동	쓸데없는 생각이 사라지다, 생활에 활기가 생기다

[예시]

2) 자꾸 연습하다 보면 잘하게 돼요

3) 그림을 그리다 보면 마음이 편안해져요

4) 급하게 만들다 보면 실수하게 돼요

[예시]

1) 서점에 자주 가요. 학교에서 나와 지하철역 쪽으로 조금만 걷다 보면 나와요

2) 한국 드라마를 많이 보다 보니까 잘하게 됐어요

[예시]

1) 꾸준히 연습하다 보면 잘 칠 수 있어요

2) 좋은 생각을 하다 보면 기분이 좋아질 거야

[예시]

2) 냉면을 먹어 봤는데 맛있더라고요

3) 걸어 다니니까 좋더라고요

4) 날씨가 더워지면 에어컨을 많이 사더라고요

[예시]

1) 떡볶이를 먹었는데 맛있더라고요

2) 제주도에 갔는데 경치가 아름답더라고요

3) 한국 노래에 관심이 많더라고요

4) 소연이가 노래를 잘 부르더라고요

[예시]

1) 집에 가서 보니 옷에 얼룩이 있더라고요

2) 재미있는데 많이 힘들더라고

1) 피아노 학원에 전화했어요.

2) 피아노 수업을 듣고 싶어서 전화했어요.

3) 화요일, 목요일 저녁에 해요.

1) ① ×   ② ×   ③ ○

1) 글쓰기를 배우고 오토바이도 타요.

2) 오토바이를 타고 전국 여행을 하려고 해요.

12 🖊 이 영화를 꼭 보라고 추천하고 싶다

어휘와 표현 | 1번 | 72쪽

영화, 드라마	액션, 멜로, 코미디, 공포, 사극
음악	대중가요, 케이팝(K-POP), 전통 음악, 클래식, 힙합, 발라드
공연	콘서트, 연주회, 뮤지컬, 비보잉(B-boying)
좋아요 👍	감동적이다, 가슴이 찡하다, 가슴이 따뜻해지다, 공감하다
별로예요 👎	지루하다, 기대에 못 미치다, 뻔하다

문법 1 | 1번 | 73쪽

[예시]
2) 할아버지는 아침마다 신문을 읽는다
3) 기차는 빨리 간다
4) 오늘 날씨가 춥다

문법 1 | 2번 | 73쪽

특히 사극을 좋아해서 자주 보는 편이다. 사실 사극 드라마에 나오는 한국어는 조금 어렵다. 하지만 나는 한복이나 한국의 옛날 건물에 관심이 많다. 그래서 사극 드라마를 즐겨 본다. 지난 주말에는 한국 드라마 〈백일의 낭군님〉을 봤다. 이 드라마는 조선 시대 사람들이 주인공이다. 남자 주인공은 조선의 왕자인데 어느 날 사고로 기억을 잃어버렸다. 그래서 자신이 왕자라는 것을 모르고 자신을 구해 준 사람들과 같이 살기 시작한다. 드라마 내용도 흥미진진하고 한복이나 풍경도 정말 아름답다. 지난주에 드라마를 다 보지 못해서 이번 주말에도 볼 것이다. 주인공이 기억을 찾으면 어떻게 될지 정말 궁금하다. 빨리 주말이 와서 드라마를 보고 싶다.

문법 2 | 1번 | 74쪽

[예시]
2) 더우니까 반팔 옷을 입으라고 했어요
3) 차 문을 열라고 했다
4) 선물을 받으라고 했어요

문법 2 | 2번 | 74쪽

[예시]
2) 실내용 운동화를 신으라고 한다
3) 운동 전에 반드시 준비 운동을 하라고 한다
4) 시설 이용을 위한 안전 교육을 받으라고 한다

문법 2 | 3번 | 74쪽

[예시]
1) 한국무역 김민수 씨가 회의 끝나고 전화해 달라고 했어요
2) 내일 모임도 나오지 말고 쉬라고 했어

듣기 | 1번 | 75쪽

1) 공포 영화나 액션 영화를 좋아해요.
2) 코미디 영화를 좋아해요.
3) 영화 보면서 웃다 보면 스트레스가 싹 풀리기 때문이에요.

듣기 | 2번 | 75쪽

1) ① ○   ② ×   ③ ×

읽고 말하기 | 1번 | 76쪽

1) 이가야예요. 미국에 혼자 사는 한국 사람이에요.
2) 평범한 이야기라서 좋아해요.

어휘와 표현 색인

3A

자료
출처
—
3A

※ 이 교재는 산돌폰트 외 Ryu 고운한글돋움OTF, Ryu 고운한글바탕OTF 등을 사용하여 제작되었습니다. Ryu 고운한글돋움OTF, Ryu 고운한글바탕 OTF 서체는 서체 디자이너 류양희 님에게서 제공 받았습니다.
※ 강승희, 곽명주, 박가을, 이재영, 정원교 작가와 함께 작업했습니다.

| 게티이미지코리아 |

2과 16쪽_1번 (상, 좌로부터)①/②   5과 32쪽_2번 좌

| 셔터스톡 |

스피커 아이콘
말풍선
문서 아이콘
연필 아이콘
전구 아이콘
1과 8쪽_2번 1)/2)/3); 11쪽   2과 15쪽_2번; 16쪽_1번 (하, 좌로부터)①/ ②; 17쪽   3과 21쪽_1번 (좌로부터)①/④; 22쪽_1번   4과 26쪽; 27쪽_1 번 (좌로부터)②; 29쪽   5과 32쪽_2번 우; 33쪽_1번 (좌로부터)①; 34 쪽; 35쪽   6과 36쪽; 41쪽   7과 44쪽; 46쪽; 47쪽   8과 49쪽; 53쪽   9 과 55쪽; 58쪽   10과 60쪽; 62쪽; 63쪽; 64쪽_1번 하   11과 69쪽; 71 쪽   12과 72쪽; 73쪽; 75쪽; 77쪽   부록 79쪽

| 기타 |

12과 76쪽_1번 <샌프란시스코 화랑관> 포스터_ ©돌배작가

메모

세종한국어 | 더하기 활동 3A

문화체육관광부
국립국어원

(07511) 서울 강서구 금낭화로 154
전화: +82 (0) 2-2669-9775
전송: +82 (0) 2-2669-9747
홈페이지 http://www.korean.go.kr

기획·담당	박미영	국립국어원 학예연구사
	조 은	국립국어원 학예연구사
책임 집필	이정희	경희대학교 국제교육원 교수
공동 집필	박진욱	대구가톨릭대학교 한국어문학과 조교수
	손혜진	고려대학교 국제한국언어문화연구소 연구교수
	김윤경	부산외국어대학교 한국어문화교육원 교사
	이정윤	계명대학교 국제사업센터 한국어학당 강사
	윤세윤	경희대학교 국제교육원 객원교수
집필 보조	고정대	대구가톨릭대학교 국어국문학과 박사과정
	심지연	고려대학교 교양교육원 초빙교수
	정성호	경희대학교 국어국문학과 박사수료
	서유리	경희대학교 국어국문학과 박사과정

초판 1쇄 인쇄　2022년 8월 15일
초판 1쇄 발행　2022년 9월　1일
ISBN 978-89-97134-54-0 (14710)
ISBN 978-89-97134-21-2 (세트)

출판·유통　공앤박 주식회사 (www.kongnpark.com)
(05116) 서울시 광진구 광나루로56길 85,
프라임센터 1518호
전화: +82 (0)2-565-1531
전송: +82 (0)2-3445-1080
전자우편: info@kongnpark.com

총괄 | 공경용
책임 편집 | 이유진, 이진덕, 여인영
편집 | 김령희, 성수정, 최은정, 함소연
아트디렉팅 | 오진경
디자인 | 이종우, 서은아, 이승희
제작 | 공일석, 최진호
IT 지원 | 손대철, 김세훈
마케팅 | Sung A. Jung, Paulina Zolta, 윤성호